# COLORISM

FEMINISMOS
**PLURAIS**
COORDENAÇÃO
DJAMILA **RIBEIRO**

# ALESSANDRA
# DEVULSKY

# COLORISMO

**FEMINISMOS PLURAIS**
COORDENAÇÃO
DJAMILA **RIBEIRO**

# ALESSANDRA DEVULSKY

**SUELI CARNEIRO**　jandaira

SÃO PAULO | 2023
2ª REIMPRESSÃO

Copyright © Alessandra Devulsky, 2021
Todos os direitos reservados à Editora Jandaíra, uma marca da Pólen Produção Editorial Ldta., e protegidos pela lei 9.610, de 19.2.1998.
É proibida a reprodução total ou parcial sem a expressa anuência da editora.
Este livro foi revisado segundo o Novo Acordo Ortográfico da Língua Portuguesa.

Direção editorial
**Lizandra Magon de Almeida**

Coordenação editorial
e edição de texto
**Camilla Savoia**

Produção editorial
**Renato Ritto**

Projeto gráfico e diagramação
**Daniel Mantovani**

Preparação de originais
**Rayana Faria**

Revisão
**Rafael Simeão**
**Renato Ritto**

Foto de capa
**Acervo pessoal**

Dados Internacionais de Catalogação na Publicação (CIP)
Maria Helena Ferreira Xavier da Silva/Bibliotecária CRB-7/568

Devulsky, Alessandra
　　N514c Colorismo / Alessandra Devulsky. – São Paulo: Jandaíra, 2023.
　　224 p. – (Feminismos Plurais / coordenação de Djamila Ribeiro)

ISBN 978-65-87113-37-1

1. Racismo. 2. Discriminação Racial. 3. Direitos e garantias individuais.
4. Direitos - Grupos Sociais. I. Título.
　　　　　　　　　　　　　　　　　　　　　　　　　CDD 305.8

Número de Controle: 00013

**jandaíra**　www.editorajandaira.com.br
　　　　　　atendimento@editorajandaira.com.br
　　　　　　(11) 3062-7909

Pote onde se preserva e amadurece
o que a terra mais tem de terra
Minha negritude não é uma pedra
uma surdez lançada contra o clamor do dia
Minha negritude não é leucoma de água morta
no olho morto da terra
Minha negritude não é nem torre nem catedral
Ela mergulha na carne vermelha do solo
Ela mergulha na carne ardente do céu
Ela rasga a prostração opaca da paciência sensata.

**Aimé Césaire**

Para a minha vovó Pedrosa Pinho da Silva e meu pai Augusto Mário da Silva, cujos exemplos vivos do que é bom e justo não encontram obstáculos no tempo ou no espaço, tampouco na morte.

Para minha mãe Taise Ponce Devulsky da Silva e minha filha Sophie Devulsky Tisescu, aquelas que são um sopro de amor sobre as feridas e a força que embala de esperanças as velas de um navio que precisa seguir.

# SUMÁRIO

APRESENTAÇÃO . . . . . . . . . . . . . . . . . . . . . . . . . 11
INTRODUÇÃO . . . . . . . . . . . . . . . . . . . . . . . . . . 16
CLEAR O ESCURO E ESCURECER O CLARO
NÃO É UM JOGO DE LUZ. . . . . . . . . . . . . . . . . . . . 22
    1.1 A CONSTRUÇÃO IDENTITÁRIA PELA OPOSIÇÃO. . . . . . . 38
    1.2 O COLORISMO VISTO DE FORA PARA DENTRO . . . . . . . 48
O COLORISMO INTERNO: ASPECTOS DA INTROJEÇÃO . . . . 62
    2.1 O COLORISMO E SUAS RESSIGNIFICAÇÕES POSSÍVEIS. . . 68
    2.2 O COLORISMO E O RACISMO NOS ARRANJOS DO CAPITAL. . 81
UMA PERSPECTIVA ESTRUTURAL DO COLORISMO . . . . . . 91
    3.1 A ESTRATIFICAÇÃO DO COLORISMO NO MUNDO
    DO TRABALHO . . . . . . . . . . . . . . . . . . . . . . . . 104
    3.2 COLORISMO E PODER . . . . . . . . . . . . . . . . . . . 117
AS RESSIGNIFICAÇÕES POSSÍVEIS DO COLORISMO . . . . 125
    4.1 UMA LEITURA FEMINISTA DO COLORISMO . . . . . . . . 135
    4.2 BRANQUITUDE, BRANQUICE OU BRANCURA
    DIANTE DO COLORISMO . . . . . . . . . . . . . . . . . . . 155
    4.3 EXISTIR SEM SER BRANCO E RESISTIR
    PARA PODER SER NEGRO . . . . . . . . . . . . . . . . . . 166
CONCLUSÃO. . . . . . . . . . . . . . . . . . . . . . . . . . 178
NOTAS. . . . . . . . . . . . . . . . . . . . . . . . . . . . . 184
REFERÊNCIAS BIBLIOGRÁFICAS . . . . . . . . . . . . . . . 219

# APRESENTAÇÃO

# FEMINISMOS
# PLURAIS

O objetivo da coleção Feminismos Plurais é trazer para o grande público questões importantes referentes aos mais diversos feminismos de forma didática e acessível. Por essa razão, propus a organização – uma vez que sou mestre em Filosofia e feminista – de uma série de livros imprescindíveis quando pensamos em produções intelectuais de grupos historicamente marginalizados: esses grupos como sujeitos políticos.

Escolhemos começar com o feminismo negro para explicitar os principais conceitos e definitivamente romper com a ideia de que não se está discutindo projetos. Ainda é muito comum se dizer que o feminismo negro traz cisões ou separações, quando é justamente o contrário. Ao nomear as opressões de raça, classe e gênero, entende-se a necessidade de não hierarquizar opressões, de não criar, como diz Angela Davis, em "As mulheres negras na construção de uma nova utopia", "primazia de uma opressão em relação a outras". Pensar em feminismo negro é justamente romper com a cisão criada numa sociedade desigual. Logo, é pensar projetos, novos marcos civilizatórios, para que pensemos um novo modelo de sociedade. Fora isso, é também divulgar a produção intelectual de mulheres negras, colocando-as na condição de sujeitos e seres ativos que, historicamente, vêm fazendo resistência e reexistências.

Entendendo a linguagem como mecanismo de manutenção de poder, um dos objetivos da coleção é o compromisso com uma linguagem didática, atenta a um léxico que dê conta de pensar nossas produções e articulações políticas, de modo que seja acessível, como nos ensinam muitas feministas negras. Isso de forma alguma é ser palatável, pois as produções de feministas negras unem uma preocupação que vincula a sofisticação intelectual com a prática política.

Alessandra Devulsky, neste livro, trata de um tema premente para entendermos a construção da sociedade brasileira e a dinâmica das suas relações. No decorrer da obra, a autora aborda desde os aspectos internos do colorismo, sua introjeção, até seu caráter estrutural, tão presente em nossa sociedade quanto o racismo. Não fica de lado, também, uma análise do colorismo a partir do feminismo negro, a fim de investigar sua repercussão tanto no aspecto afetivo quanto político de formação das mulheres negras.

Com vendas a um preço acessível, nosso objetivo é contribuir para a disseminação dessas produções. Para além desse título, abordamos também temas como encarceramento, racismo estrutural, branquitude, lesbiandades, mulheres indígenas e caribenhas, transexualidade, afetividade, interseccionalidade, empoderamento, masculinidades. É importante pontuar que esta coleção é organizada e escrita por mulheres negras e indígenas, e homens negros de regiões diversas do país, mostrando a importância de pautarmos como sujeitos as questões que são essenciais para o rompimento da narrativa dominante e não sermos tão somente capítulos em compêndios que ainda pensam a questão racial como recorte.

Grada Kilomba em *Plantations Memories: Episodes of Everyday Racism*, diz:

> Este livro pode ser concebido como um modo de "tornar-se um sujeito" porque nesses escritos eu procuro trazer à tona a realidade do racismo diário contado por mulheres negras baseado em suas subjetividades e próprias percepções. (KILOMBA, 2012, p. 12)

Sem termos a audácia de nos compararmos com o empreendimento de Kilomba, é o que também pretendemos com esta coleção. Aqui estamos falando "em nosso nome".*

DJAMILA RIBEIRO

---

*No original: "(...) in our name." HALL, Stuart. "Cultural Identity and Diaspora". *In:* RUTHERFORD, Jonathan (ed). **Identity, community, culture difference.** Londres: Lawrence and Whishart limited, 1990, p. 222.

# INTRODUÇÃO

O estudo do colorismo demanda uma perspectiva interseccional que leve em conta seus aspectos múltiplos, no que tange à sua origem, mas também no que concerne às suas repercussões na sociedade. Partindo de uma abordagem que destaca as circunstâncias materiais imprimidas na maneira pela qual homens negros e mulheres negras sofrem suas consequências, o colorismo surge como um quadro identitário racial e político que plasma os sujeitos em um arquétipo predefinido. A substância dessas existências, tanto negras quanto brancas, resta encerrada em papéis que distribuem, de modo desigual e injusto, habilidades, tendências, características e estéticas que, definidas de fora para dentro, restringem e disciplinam as variadas negritudes existentes no Brasil.

A mestiçagem, de origem violenta, fez parte de um projeto colonial que pretendia diluir a negritude até o ponto em que ela desaparecesse. Não foi o que aconteceu. Graças à resistência indomável dos descendentes dos primeiros africanos que foram trazidos para o país sob a condição da escravidão, criaram-se variadas estratégias de sobrevivência cultural da identidade negra. Os quilombos, as músicas, as danças, as religiosidades, entre tantos outros aspectos da cultura negra que superaram o castigo, o cárcere e mesmo a morte de tantos negros não permitiram que as hierarquizações raciais fossem capazes de obliterar a negritude no Brasil. Contudo, a força coerciva dos códigos culturais e as imposições de políticas públicas de branqueamento fizeram com que o colorismo também fosse adotado dentro das comunidades negras.

No primeiro capítulo deste livro sugerimos um conceito possível de colorismo a partir de uma perspectiva decolonial. Historicizando o percurso da identidade negra, inclusive no modo como ela é construída no continente africano, procura-se identificar na multiplicidade de fenótipos negros africanos um meio de reafirmar a negritude brasileira, mesmo sendo esta constituída por uma forte miscigenação com brancos e indígenas.

Se no Brasil é possível depreender de que maneira a escravidão e o processo colonial foram importantes no emprego de uma noção de hierarquias raciais, aqui também procurou-se compreender como outras experiências similares impactaram a construção identitária[1] de sociedades distintas, mas igualmente sujeitadas ao colonialismo.

A partir de análises sobre as sociedades estadunidenses e africanas, em conjunto com as literaturas brasileira e latino-americana, cujos referenciais também estão associados a experiências nacionais que foram atravessadas pela colonialidade e pela escravidão, sugerimos algumas acepções gerais sobre o colorismo: ele atinge mulheres e homens de modo distinto, aprofundando a desigualdade entre ambos; é uma construção ligada à ideia de supremacia branca, portanto, não originada nas interações endógenas dos membros da comunidade negra; é empregado por brancos sobre negros e por negros sobre negros.

No segundo capítulo busca-se demonstrar que o reconhecimento de vantagens concedidas a negros de pele clara não faz deles sujeitos pertencentes aos espaços de poder tradicionalmente ocupados por brancos no Brasil. Uma espécie de competição entre pessoas negras de pele clara e de pele escura foi estimulada pelos proprietários de escravos e, posteriormente, mesmo após a abolição, com a persistência de certas vantagens vivenciadas por negros oriundos da mestiçagem, ela perseverou. Adentrando no seio das famílias, a introjeção do colorismo no modo como negros se relacionam trouxe efeitos deletérios no campo político e afetivo de sujeitos racializados.

Repercutindo na estereotipização de negras e negros de maneira distinta, a sexualidade e o trabalho se estabeleceram como espaços únicos existenciais que aprisionam os corpos negros em uma espécie de camisa de força identitária da qual é difícil escapar. Esses arquétipos[2] racializados surgiram, assim, para identificar negras claras e escuras de acordo com o que tradicionalmente se espera de sua existência, mesmo que pouco se identifiquem, ou que não se identifiquem de modo algum com esses estereótipos.

O terceiro capítulo aborda as tensões oriundas da estratificação de negros no mercado de trabalho, sob os limites do capital, pretendendo-se indicar quais são as características atuais do regime de produção que tornam essa hierarquização imperativa. As desigualdades econômicas oriundas do racismo são conhecidas, mas pretende-se apontar que o colorismo também atua como fator preponderante na seleção e na progressão de carreira de acordo com a maneira como a negritude resta visível. Nessa esteira, o perigo dos amálgamas identitários que são forjados para desagregar a luta antirracista é abordado, a fim de indicar outras leituras da mestiçagem que contribuam para a composição de uma melhor forma de cooperação dentro da diversidade negra brasileira.

No quarto capítulo do livro o feminismo negro é suscitado para explicar a repercussão do colorismo na aspecto afetivo e político da constituição da mulher negra. As assimilações de mulheres negras a certas tarefas naturalizadas, assim como a contrapartida do feminismo branco nas pautas que afetam mais diretamente a população negra, fazem parte da reflexão.

Adicionalmente, a relação de colaboração política e de não invisibilização da pauta indígena nas ações e intervenções políticas antirracistas promovidas pela comunidade negra surgem como um ângulo a ser mais atentamente desenvolvido, especialmente em virtude da nossa íntima coexistência decorrente da mestiçagem.

CLAREAR O ESCURO E ESCURECER
O CLARO NÃO É UM JOGO DE LUZ

O perfil demográfico brasileiro traçado pelo IBGE indica que 56% da população do país é negra. Um grupo compreendido, portanto, como não brancos, composto por denominações classificadas pelo IBGE como pardos, os negros claros que correspondem a 46,5% da população, e os pretos, que são 9,3 desta. Em termos metodológicos, o IBGE traça um elo racial e político entre pretos e pardos, indicando a sua oposição àquilo que se convencionou chamar de branco. Estar em polos opostos em termos raciais significa, historicamente, obter vantagens ou estar submetido a prejuízos, inobstante a adesão ou o repúdio ao sistema hierárquico racial.

O grupo racial chamado de modo geral de negros no Brasil, portanto, inclui também os pardos. Pardos esses que são associados a algum grau de mestiçagem racial,

enquanto, em contrapartida, não são identificados como brancos por não terem ascendência europeia visível em algum traço físico peculiar. O pendor racial atinente aos pardos aproxima, assim, este grupo dos negros, dos quais fazem parte. No que tange aos prejuízos inerentes ao preconceito racial, o pardo insere-se na estrutura racial que infere da sua identidade negra as características negativas atribuídas à africanidade desde o processo de escravidão. Entretanto, a sua condição mestiça, não pura, também o beneficia em certas circunstâncias.

No Brasil, a adoção da ideia de birracialidade não foi adotada para não invisibilizar negros de pele clara, que não são associados a pessoas brancas cotidianamente e ao mesmo tempo vivenciam o racismo de modo aproximado ao que é experimentado por pessoas negras sem qualquer traço aparente de mestiçagem. Sendo assim, a adoção do termo pardo tenta contemplar o que a afro-descendência teria como condão de oferecer a negros de pele clara: um pertencimento à raça negra, uma vez que não são lidos racialmente como brancos, apesar de uma ascendência partilhada entre os dois grupos.

Nas análises, verificamos dois problemas na classificação birracial (branco/negro). O primeiro diz respeito à rejeição a essa categoria pelos três grupos de cor ou raça, mas principalmente pelos pretos e pardos (o que pode ser verificado no percentual de não declarantes).

O segundo problema consiste em que quando essa classificação é comparada à do IBGE ou mesmo à aberta, cresce significativamente o número de brancos, devido ao fato de que os pardos tendem a migrar em larga medida para o grupo branco. Nesse sentido, a adoção oficial de uma classificação birracial, como defende parte do movimento negro nacional, acabaria por produzir uma situação na qual o peso demográfico desse grupo (considerando os pretos e pardos da classificação do IBGE) diminuiria. Concluímos, portanto, que a categoria parda é necessária no sentido de acomodar essa miríade de classificações que se perfaz no chamado "contínuo de cor". As análises que realizamos indicam que, se há uma rejeição à categorização birracial, não existe uma rejeição à pergunta: "Você se considera afro-descendente ou de origem negra?" De fato, o percentual de afro-descendentes é muito maior que a soma dos pretos e pardos, exatamente porque muitos brancos também se identificam dessa forma. O importante é que pardos e pretos rejeitam em grande percentual a polarização fenotípica (a birracial), mas não rejeitam a polarização de origem (afro ou não afro). (BRANDÃO, 2007, p. 27-45)

Ainda sobre a questão da divisão de negros entre pardos e pretos, o fator socioeconômico parece ter alguma influência na maneira pela qual a percepção racial é vivida. Contudo, a ascensão social não imuniza a pessoa negra do racismo, que parece ser prevalente a outras formas de relação social.³

Como Pap Ndiaye observa, o colorismo tem o condão de opor pessoas da mesma comunidade, umas contra as outras, permitindo que pessoas negras possam se estranhar por conta de suas diferenças. Para o historiador francês de origem franco-senegalesa, essa é uma herança diretamente advinda do mundo colonial e pós-colonial, que ainda dita os padrões sociais. Nessas estruturas, dois primos, ou dois irmãos, podem não se reconhecer como pertencentes ao mesmo grupo racial, o que parece pouco crível de ser admitido se adotarmos os preceitos estritos do colorismo. A condição negra é apreendida desde muito cedo, considerando que "dificilmente é possível astutamente fugir ou esconder sua cor de pele, de destruir os muros compostos de melanina, de escolher sua identidade ao seu alvedrio, segundo o momento, o local e os outros".⁴

Não se pode ignorar que o jugo racialista conforma homens e mulheres a tentar se encaixar nos moldes brancos existenciais. Consumir vestimentas, estéticas, linguagem e, certamente, autores associados a uma cultura superior, cria a falsa expectativa de adquirir um *laisser-passer* às redes de poder. Instituições, e até o próprio Estado, promoveram durante séculos uma associação sistemática da cultura negra à pobreza, ao incivilizado e ao ínscio, mesmo que o continente africano também seja sinônimo de abundância, de grandes civilizações promovedoras das ciências, indo da política à engenharia, passando pela filosofia e chegando à física.

Por isso os reflexos racistas e as práticas oriundas do colorismo foram incorporadas tão bem na construção dos nossos apreços e gostos, e não poderiam deixar de estar presentes também no seio da comunidade negra. Desaprender o racismo passa pela compreensão do que de fato é a história africana e a história da diáspora, das causas do tráfico negreiro e de seus elos com aqueles que ontem e hoje se beneficiam da clivagem racial. O colorismo, portanto, tem como causa a maneira pela qual compreendemos a condição negra, inferiorizada e subjugada ao branco; mas também tem como solução a compreensão dessa mesma condição negra, desde que liberta de sua grade racista.

A primeira forma pela qual o colorismo afeta negros claros é criando essas barreiras ideológicas no interesse natural que todo ser humano tem por compreender suas origens. Crianças que crescem em meio a um ambiente escolar e familiar estruturado em princípios de inferiorização da cultura africana, de vilanização das vítimas da escravidão e de invisibilização dos heróis e heroínas da resistência contra a escravidão não poderiam se desenvolver valorizando sua negritude.[5] Na medida em que desconstruirmos os fundamentos falaciosos do racismo baseados no absoluto desconhecimento da grandiosidade das civilizações africanas e a partir dos incontáveis exemplos de heroísmo dos movimentos de resistência negra organizada contra a escravidão, o racismo e, recentemente, contra a ditadura, crianças e adultos estarão aptos a se reconhecer no amplo espectro de negritudes existentes na África[6] e na diáspora.[7] É a partir da reconstrução desses novos paradigmas que famílias inteiras podem reconhecer e viver sua negritude de maneira plena, valorizando filhos e netas que portam os signos das africanidades no corpo e na sua existência política. E isso para que haja cada vez mais exemplos como os da família Pitanga,[8] que, na diversidade de suas cores, arregimenta sua história e sua arte em prol das causas em defesa da dignidade negra.

Quando Pap Ndiaye lembra que ser negro "não é nem essência, nem cultura, mas o produto de uma relação social",[9] ele se alinha à tradição de Frantz Fanon. Assim, quando negros claros sujeitam negros que apresentam mais traços de africanidade a um tratamento inferiorizante, esse recurso nada mais é do que tentar transferir a outrem o tratamento que eles recebem do branco.

O colorismo é, de uma certa forma, um subproduto rançoso do racismo na medida em que sujeita aqueles

> que têm a pele mais escura àquilo que sofremos vindo dos brancos, o que constitui uma forma de aceitação da hierarquia racial e portanto das relações de dominação que atuam em seu detrimento. (...) Uma cantiga popular americana diz mais ou menos assim: "Se você é branco você está bem, se você é amarelo você está mais ou menos, se você está marrom você pode ficar por perto, mas se você for negro você pode ir embora." A distinção entre negros e brancos não é suficiente para dar conta de todos os preconceitos raciais (...) na medida em que no seio de cada grupo há distinções oriundas do colorismo que podem ser o fundamento de tratamentos desiguais articulados a uma hierarquia racial colocando certos brancos brancos digamos, no topo. (NDIAYE, 2008, p. 111)

Esse benefício nada mais é do que um desdobramento do racismo, que poderíamos assim chamar de colorismo. Um sistema sofisticado de hierarquização racial e de atribuição de qualidades e fragilidades que, no Brasil, é oriundo da implantação do projeto colonial português quando da invasão do território. Um sistema de valoração que avalia atributos subjetivos e objetivos, materiais e imateriais, segundo um critério fundamentalmente eurocêntrico. Seja em torno do fenótipo, seja com relação à carga cultural expressa pelo sujeito, a categorização do quanto um indivíduo é negro só ocorre após a leitura de que ele não é branco.

O colorismo é uma ideologia, assim como o racismo. Enquanto processo social complexo ligado à formação de uma hierarquia racial baseada primordialmente na ideia de superioridade branca, sua razão de fundo atende aos processos econômicos que se desenvolvem no curso da história. De um polo a outro, seja ao preterir os traços fenotípicos e a cultura associada à africanidade, ou ao privilegiar a ordem imagética da europeinidade, sua constituição está ligada ao colonialismo e, indelevelmente, ao capitalismo.[10]

A rejeição do negro como arquétipo negativo a ser evitado a qualquer custo faz parte do conceito de racismo.[11] Contudo, foi a partir das missões religiosas e das empreitadas coloniais que vimos, por meio da invasão do território e da submissão absoluta dos povos, que o colorismo se constrói como arma indispensável na subjugação daqueles que são vencidos na guerra colonial. Aqueles que se constituíam a partir de um dado espaço geográfico, político e étnico, foram categorizados entre si de acordo com a proximidade ou o distanciamento do que caracterizavam os traços culturais e fenótipos do colonizador. O colonizador é a régua e a regra. O colonizado é o espaço a ser invadido; o sujeito a ser escrutinado por critérios construídos algures; aquele que por definição é o negativo do outro, a exceção. Ele deve ser expurgado para dar espaço aos valores intrínsecos à europeinidade. Assim, o branco se firma como parâmetro etnocêntrico.

Uma passagem da obra incontornável de Frantz Fanon *Pele negra, máscaras brancas* aponta para a dualidade entre racionalidade e irracionalidade no seio das relações raciais. Dela decorre uma conclusão que para pessoas racializadas não é novidade, mas, tão somente, uma constatação: a infância atravessada pelo racismo traumatiza brancos e negros. Para Fanon é importante sublinhar o caráter de trauma no qual se constitui aprender que somos racializados. Ser exposto ao racismo e saber, mais cedo ou mais tarde, que as razões disso atendem a preceitos que não têm arrimo em verdades define um ponto de cisura que marca para sempre a vida de racializados e racializadores.

O primeiro contato de uma criança racializada com o racismo é traumático, porque a natureza da apreensão é social, ou seja, ela não se dá de maneira objetiva, programada ou de modo ritualístico. O momento do primeiro contato com o racismo na vida de um negro ou de uma negra é circunstancial, imprevisível e pode ocorrer mesmo antes que o sujeito racializado se dê conta da discriminação sofrida. Contudo, é só a partir do momento em que introjetamos a ideia de que somos percebidos por brancos de maneira diferente, e isso se transforma em um fato, como código da sociedade, que passamos a nos enxergar como negros.

Quando uma criança é expulsa de um espaço ou de uma brincadeira sendo chamada de "preta", a primeira reação dela, que não tem conhecimento da racialização, é perguntar o porquê. Essa pergunta, mal sabe ela, jamais terá uma resposta satisfatória, porque mesmo diante da compreensão de todas as circunstâncias socioeconômicas e políticas envolvendo a discriminação de pessoas por raças, nenhuma delas conseguirá suplantar o fato de que todos esses fatores são injustos, independentemente de como foram historicamente construídos. A criança busca uma resposta, em completa agonia e desamparo, porque a grade racial há séculos construída não é inata, ela é imposta, e dessa imposição surge a sua naturalização, que a faz aderir em todos os aspectos da vida. Todos nós nascemos livres do racismo, mas a vida em sociedade requer que a integração desses fatores seja algo inescapável.

Fanon ensina que na psicanálise nada é mais "traumatizante para a criança do que o contato com o racional".[12] Todavia, quando esse trauma decorre do racismo, que é uma construção baseada sumariamente em uma falácia, no arquétipo falseado de alguém despido de humanidade e qualidades que passa a ser projetado sobre toda e qualquer pessoa a quem seja atribuída a raça negra — clara ou escura —, estamos sob o domínio do irracional, ou de uma racionalidade outra, típica da sociedade racista, recalcada, temerosa e frustrada. Se "para um homem que só tem como arma a razão, não há nada de mais neurotizante do que o contato com o irracional",[13] Fanon indica que tanto negros como brancos estão sujeitos ao flagelo do racismo que limita essas duas existências a arquétipos, ora inalcançáveis, ora limitadores.

Contudo, ao negro resta o papel extenuante de reafirmar sua humanidade, de proteger sua dignidade, de lutar pela liberdade de acertar e errar. Defender esses marcos civilizatórios é defender o domínio de uma racionalidade mínima em um debate cujas regras, como bem define Fanon, escapam à própria racionalidade.

De fato, ser branco em uma sociedade racista é submeter-se a uma neurose perigosa de megalomania racial que leva a confrontos contra tudo aquilo que remete à alteridade e que pode, além do recalque, levar a atos extremados de violência. Negros também se submetem a essas "pulsões de morte", mas de maneira às vezes significativamente diferente. Em muitos casos a raiva dirige-se a si próprio, odiando-se ou odiando tudo aquilo que se associa à negritude na acepção que ele foi imbuído a acreditar. A pulsão de morte, Thânatos, como bem ensina Anselm Jappe, tem dois lados na teoria freudiana: o mais conhecido, que é o da agressividade e da violência, que levam à destruição; e o da "busca de um estado sem tensões ou desejos, um estado de repouso absoluto, (...) de retorno ao ser monocelular ou inorgânico".[14]

As pulsões de morte, tão recorrentes no colorismo e no racismo, decorrem, assim, do fato de que, no outro polo, a "pulsão de vida", ou o princípio de Eros, age como uma força que termina por dirigir uma parcela da pulsão de morte para o interior do indivíduo. Eros, que se constitui em uma força "a compor e a unir os elementos dispersos a fim de permitir construções mais elaboradas, seja a família, a cultura ou a sociedade",[15] impõe, em certa medida, algumas exigências da vida em sociedade, o que Freud chama de "cultura". Esses limites culturais tornam-se, assim, segundo Jappe, uma imposição de renúncia do indivíduo em dirigir suas pulsões de morte ao exterior, obrigando-lhe a dirigir uma parte dessa agressividade contra si mesmo, "mas os homens aceitam essas restrições de sua agressividade de malgrado, o que termina por constituir o fundo de guerras e outras violências".[16]

Mais do que entender o que há de errado com ser chamada de "preta" e ter sua presença recusada, a criança também não compreenderá a pertinência de ver atribuída a si uma cor que sequer é aquela que melhor corresponde à sua pele. Assim, quando a criança coloca dois lápis de cor sobre o antebraço, um marrom e outro preto, para tentar entender a razão da segregação, nós, já adultos, entendemos que se trata de um detalhe menos importante, mas que para a criança é algo fundamental. Pessoas sociabilizadas sabem que chamar alguém de "preto" não objetiva uma identificação racial ou uma qualificação precisa da sua cor, que se restringiria a um modo de descrever alguém. Identificar alguém como "preto" em uma sociedade racista é reservar a ele um lugar de desprezo, é imputar a ele um sentido político de subordinação, pouco importando o que o sujeito acredita ser.

Esse é um processo social reprodutível e reprodutor, que não pode ser revertido individualmente ou por meio de um ato isolado. Um decreto que criminaliza o racismo; uma constituição federal que erige à regra a não discriminação baseada em raça ou cor; uma política de cotas raciais para ingresso nas universidades; todas essas ações importantes e necessárias não são capazes de dar fim ao racismo. E isso não porque tais medidas sejam ruins, mas porque elas são insuficientes. O colorismo como maneira pela qual se investem as pessoas em processos de hierarquização dos negros e o racismo a estabelecer a superioridade branca compõem processos que estão interligados, de fato, mas que, sobretudo, visam à perenização dessas estruturas enquanto ordem racial.

Desconstruir e eliminar o racismo não será suficiente para eliminar a injustiça social e desestruturar o capitalismo, na medida em que a concentração de riquezas e o mercado financeiro encontram outras maneiras de perpetuar a exploração e reconfigurar os modos de produção e os regimes de acumulação. Outrossim, substituir a base da nossa economia por uma plataforma horizontalizada que elimine a "forma-valor" e a "forma-sujeito"[17] tal qual a conhecemos no capitalismo, a fim de migrar para outro tipo de organização social da produção que não tome seres humanos e natureza como entidades separadas, pode, infelizmente, continuar a submeter as pessoas ao racismo e ao colorismo, ainda que com grande sucesso no combate às mudanças climáticas. Melhorar as condições socioeconômicas da população, mesmo que os interesses coletivos estejam no centro valorativo da sociedade, em vez do que é visto hoje com a mercadoria e a mais-valia, não é uma garantia de eliminação do racismo.

O que é certo, todavia, é que toda mobilização social vinculada a um processo legítimo de emancipação racial e de justiça social não pode se arrogar revolucionário se a questão racial permanecer em segundo plano, a título de algo lateral que só pode ser tratado depois que as grandes questões econômicas estiverem resolvidas. Tratar o racismo como as questões de distribuição de renda, que no bojo neoliberal são relegadas para um depois que nunca ocorre, significa hierarquizar as opressões como se elas fossem experiências compartimentalizadas. Se transformar o mundo é tomá-lo pela sua raiz, é abordá-lo como ele se apresenta na materialidade e não em um plano puramente idealizado, é preciso perceber que as explorações se dão simultaneamente no plano do gênero, da sexualidade, da classe e da raça, e que essas divisões servem mais para compreender seu funcionamento correlacionado e menos para indicar o lugar dessas lutas. Classificá-las em uma "ordem de chamada" da revolução é tão ineficaz quanto incongruente com os princípios do marxismo e da luta anticapitalista, pois essas explorações atravessam o cotidiano de entes políticos cuja mobilização é imprescindível para o sucesso daquelas lutas emancipatórias.

Ninguém é discriminado exclusivamente no seio familiar por conta de sua sexualidade; ou sente medo por ser mulher somente quando executa suas tarefas profissionais; ou sujeita-se à discriminação racial só quando se vê em uma blitz policial; ou percebe que sua classe social é um limite somente quando deseja convidar alguém para jantar. As opressões são vividas de modo inteiriço, em todos os aspectos da vida, e prescindem de classificações exógenas para serem compreendidas por quem as vive. Aliás, nada é menos revolucionário do que não dar atenção àquilo que mobiliza espontaneamente aqueles que são os mais subalternizados na luta de classes. Passar ao largo dessas condições equivale ignorar a necessidade de emancipação feminina como pressuposto de todo e qualquer ato que prime pela transformação do mundo. É desprezar uma parte da sociedade cujos membros são sempre colocados na linha de sacrifício, enquanto outros têm necessidades percebidas como prioritárias, mesmo sendo eles os que detêm as vidas mais longevas, confortáveis e seguras. Estes últimos, no Brasil, não são negros claros ou escuros.

## 1.1 A CONSTRUÇÃO IDENTITÁRIA PELA OPOSIÇÃO

Ser branco no Brasil significa, assim, estar livre de qualquer parâmetro avaliativo do colorismo. Explica-se: ser branco é ser a norma, posto que estar imbuído da identidade negra significa estar constituído de um ou de vários elementos desviantes daquilo que é normal. O que passa abaixo do radar racial é, portanto, um conjunto de características que, de modo uníssono, não deixem dúvidas de que um determinado sujeito seja branco ou tenha suas origens dissociadas, ao menos fenotipicamente, do que se convencionou compreender como branco, ou como europeu. Ser branco é pertencer à regra, enquanto ser negro e se aproximar da africanidade constitui o elemento excepcional que faz parte do tecido social, apesar dos esforços para seu apagamento, sua melhora ou sua extinção. Pertencer, no Brasil, ao grupo racial de brancos dispensa, deste modo, justificar suas origens ou precisar aperfeiçoar alguma característica para aproximá-la do parâmetro europeu.

A negritude, definida como algo a ser extirpado em virtude da sua diferença em relação à branquitude, não é uma construção ideológica realizada de modo dialógico, tampouco com a participação dos sujeitos negros. O festejado antropólogo Kabengele Munanga aponta para essa construção complexa da identidade racial, na qual o negro claro se insere, valorizando outros aspectos além daqueles ligados ao gradiente da pele.

> De que identidade se trata? Dessa identidade mítico-religiosa conservada nos terreiros religiosos? Da identidade do grupo oprimido que vacila entre a consciência de classe e a de raça? Ou da identidade política de uma "raça" afastada de sua participação política na sociedade que ajudou a construir? Esta última, ainda em formação, que caracteriza a tomada de consciência da jovem elite negra politicamente mobilizada, me parece a mais problemática de todas. Nela se misturam os critérios ideológicos, culturais e raciais. Nesse caso, a situação do mestiço fica mais crítica ainda pela ambivalência racial e cultural da qual ele participa, e sua opção fica

geralmente baseada em critérios ideológicos. Também nem todos que participam desse processo vivem plenamente os valores culturais negros. Mas, por causa da discriminação racial da qual todos são vítima, quase todos se referem retoricamente aos valores culturais negros ou tentam recuperá-los, pelo menos simbolicamente, como o mostra o discurso da negritude. Parece também que os critérios raciais sem consciência ideológica ou política não seriam suficientes para desencadear o processo de formação da identidade. Nesse sentido, a famosa pergunta — "Afinal, quem é negro?" — muitas vezes colocada no atual debate sobre cotas raciais, se refere a essa dificuldade de definir a identidade com base no único critério racial. Como se percebe, o conceito de identidade recobre uma realidade muito mais complexa do que se pensa, englobando fatores históricos, psicológicos, linguísticos, culturais, político-ideológicos e raciais. (MUNANGA, 2015, p. 8-9)

O negro como conceito biológico é inteiramente fundado nas acepções científicas da Europa, que não levavam em conta o que se produzia na África como pensamento. Os mitos fundantes das centenas de povos da África que recuperam a história do continente e explicam costumes e conceitos são ignorados. Aquilo que seria provado como errôneo no apagar das luzes do século 20, hoje classificado como má ciência, ou pseudociência, ou simplesmente a ciência possível dentro da metodologia conhecida à época, foi inteiramente fruto do saber europeu. É por meio do desprezo do saber africano sobre si e sobre sua história que a Europa erige o falseamento da hierarquia de raças, daí a importância de aniquilar a cultura atinente ao povo negro enquanto se produz textos e pesquisas em torno da ideia racial na qual a morfologia negra serve de anteparo para o eugenismo científico.

A apreensão racista dos sujeitos incorpora, assim, dados históricos, culturais, estéticos e biológicos, nos quais a proporção de pigmento epidérmico é somente um dos elementos definidores de raça.[18] O que, por um lado, torna complexo o processo do ponto de vista científico, do outro, torna-se um saber transmitido pelas gerações de modo sutil, mas extremamente violento com a população negra. Se na ciência há protocolos a serem seguidos e metodologias afeitas a determinados objetos e eixos do saber, percebe-se que na cultura a habilidade de definir raça e delimitar zonas de pertencimento racial está profundamente arraigada às condições materiais experimentadas por negros e brancos. O *savoir-faire* da identificação racial é algo adquirido e transmitido no processo de sociabilização, de modo consciente e inconsciente.

Brancos e negros são ensinados, ensinam e reproduzem os valores da sociedade racializada do mesmo modo como ocorre com a determinação do gênero. Toda criança em algum momento é exposta, em maior ou menor grau, aos valores ligados à identificação do seu gênero usando seu sexo biológico como baliza, muito embora a identificação íntima dessa criança possa não se coadunar com a biologia de seu corpo. Contudo, toda criança sabe que não precisa usar seu sexo para brincar de carrinho ou de boneca. Se o menino não usa sua genitália para brincar de carrinho, tampouco a menina usa seu sexo para brincar de boneca, sabe-se que não há qualquer justificativa lógica que imponha uma interdição ao uso de bonecas para meninos e carrinhos para meninas.

Todavia, o interdito, mais ou menos rígido, existe. O constrangimento imposto às crianças, seja ridicularizando-as, seja pelo interdito puro e simples, constrói arquétipos, quando não tolhe de modo castrador o alargamento do horizonte existencial dos sujeitos. Esse processo de construção identitária funda-se, assim, naquilo que compreendemos como atividades femininas e masculinas, do mesmo modo como nossa percepção do que é considerado negro ou branco se solidifica na sociedade. No Brasil, cada sujeito é atravessado pelos valores raciais, os quais criaram no decorrer dos séculos a aversão ao cabelo crespo, ao nariz largo, aos lábios grossos, e a todas as outras características atinentes às origens africanas.

Entretanto, o colorismo vai além da rejeição aos traços, e toca a constituição da psiquê brasileira, do arquétipo do sujeito médio no Brasil. Da religiosidade e da estética africanas, passando pelo emprego de termos linguísticos, dos maneirismos ligados ao samba, até a capoeira, cada uma dessas dimensões da cultura negra é mais bem admitida quando exercida por brancos em vez de negros. Funda-se, assim, uma composição de associações culturais, uma rede de pertencimentos raciais que são admitidos desde que não exclusivamente negros. Por isso, portar um turbante pode ser considerado um acessório estético, uma moda, para uma pessoa branca, enquanto o mesmo turbante pode ser motivo de insulto ou de apedrejamento quando usado por um negro.

No Brasil, o colorismo estipula o quanto é possível ser negro gozando de alguma segurança. A mestiçagem serve, assim, como *laisser-passer*.[19] Contudo, um negro de pele clara[20] lido como sujeito autorizado a circular na esfera branca de poder, ao portar um turbante, ao usar dreads no cabelo, pode perder com muita facilidade seu *laisser-passer*. A sutil linha que divide esses espaços de trânsito social é facilmente rompida, e essa insegurança é apreendida quase que naturalmente na sociedade por negros, especialmente os de pele clara, visto que para aqueles de pele escura a linha separatória é praticamente inamovível. Por isso, roupas, signos ostentatórios de riqueza, estéticas eurocêntricas, todos esses elementos fazem parte do arcabouço de valores que negros usam para aliviar a carga de racismo à qual estão expostos.

A hierarquização racial responsável por indicar lugares, impor limites, traçar relações legais e ilegais pode ser juridicamente estabelecida, como ocorreu durante os regimes escravocratas nas Américas e em todo o Caribe. Casamentos inter-raciais foram criminalizados nos Estados Unidos, crianças mestiças eram privadas de heranças e proteção parental no Brasil, postos de trabalho eram proibidos a pessoas "racializadas" de modo velado ou institucional. No regime de apartheid na África do Sul, uma cartela de cores podia ser encontrada como indicativo do lugar de pertencimento conforme o nível de negritude de um indivíduo.

Na Índia, um processo semelhante de hierarquização por castas fundadas no credo hindu também se aproveita do indicador do tom da pele para delimitar privilégios e traçar limites de mobilidade socioeconômica. Como ocorre com os chamados intocáveis, também conhecidos como dalits, assim como aquilo experimentado pelos sudras em alguma medida, o marcador racial compõe a complexa rede de atributos para cada casta. A cor da pele é associada ao lugar de pertencimento do indivíduo, interferindo materialmente em todos os aspectos da vida em uma sociedade predominantemente hindu. Aliás, ultrapassa os limites raciais passa a ser punível e recriminável socialmente em muitos lugares do mundo. Um processo de estratificação e preferência é também observado no Japão, segundo Bonniol:

> Na medida em que o critério estético de maior clareza da pele seria para os homens um fator essencial na escolha da parceira reprodutiva, há uma competição entre os homens pelo acesso às mulheres mais claras (...) No contexto de uma sociedade estratificada, assistimos então a uniões preferenciais entre mulheres e homens de classes mais altas. Uma das melhores documentações que ilustram tal fenômeno vem do Japão, onde a camada superior da sociedade como um todo é mais clara do que as outras categorias; tornou-se assim como resultado de uma atração contínua de mulheres claras na pirâmide social, onde o dimorfismo sexual tende a diminuir com uma generalização de clareza seja qual for o sexo, mas que, nas camadas inferiores da sociedade, ao contrário, é mantida. Na Índia, pode-se aplicar o mesmo esquema de estratificação de cores, resultado das escolhas preferenciais do cônjuge em uma sociedade hierárquica. Ainda hoje, a mulher clara é valorizada ali: nos classificados de casamento, a fórmula de apelo mais clássica é, para as mulheres, a de pele clara. (...) Mas as regularidades que podem ser vistas

nas representações cromáticas da pele não são apenas especulações naturalistas. Eles também podem derivar de certas recorrências simbólicas específicas de todas as experiências humanas. A cor da pele é certamente o elemento mais afirmado em uma história particular, a do Ocidente, para marcar identidades, ao passo que pode ser suplantado em outros lugares por outros critérios (no Japão, não ocupa o lugar essencial do cabelo como signo fundamental da alteridade). (...) Na Índia, a grande categorização de varna é, terminologicamente, uma distinção de cores: em sânscrito, o branco simboliza a casta brâmane, e o preto a dos rejeitados; a deusa Kali, quando se afirma em suas dimensões "malignas", é representada com pele negra. Esses valores pejorativos associados ao preto são amplamente compartilhados por todas as línguas indo-europeias: em grego e latim, o preto, que sugere uma mancha moral e física, se opõe ao branco, um sinal luminoso, símbolo de franqueza, de inocência. (BONNIOL, 1995, pp. 185-204)

No Brasil, catalisando as necessidades do capitalismo mercantil subjacente ao empreendimento colonial, o catolicismo surge como vetor premente da racialização da sociedade. Primeiramente disciplinando a sociedade autóctone brasileira, usando a força tributária da herança católica estabelecida no Brasil desde o século 16, as missões franciscanas e jesuítas trazem a palavra bíblica no âmago de seus princípios. A narrativa bíblica, dada a sua importância basilar na organização da sociedade colonial, irradia assim seus conceitos sobre a moral, os costumes e, como não podia deixar de ser, sobre aquilo que mais tarde convencionou-se chamar de raça. A hierarquização dos diversos povos encontrados por essas missões religiosas pelo mundo, seja na África, seja no Brasil, utiliza-se das alegorias bíblicas como verdadeiras tábulas raciais para a classificação daqueles que não se sujeitam, *a priori*, à fé cristã.

Entretanto, no caso brasileiro, uma vez abolida a escravidão, em 1888, o arcabouço jurídico que predeterminava a organização da sociedade segundo uma hierarquização racial estabelecida pelo Estado ruiu. Foi a partir da ausência de uma régua estatal tributária do que a sociedade convencionou ser um denotativo de mácula ou de uma má qualidade que se formaram os sistemas raciais baseados no colorismo social.

Em substituição ao sistema de leis e de institutos jurídicos que até então estabeleciam o lugar de negros e brancos durante a escravidão e a partir desses mesmos elementos culturais debitários de um sistema secularmente posto, surgiu o colorismo como um novo método de manutenção da hierarquia racial órfã do sistema positivo de organização social. Desse modo, antigos mecanismos de balizamento racial foram salvaguardados por meio de um mecanismo que manteria insidiosamente os contornos de uma sociedade marcada pelo racismo.

O que se viu no caso brasileiro não foi uma tentativa de forjar-se paulatinamente no imaginário coletivo uma nova ordem racial desvinculada daquele sistema escravocrata outrora em vigor. Muito ao contrário, a sociedade brasileira tratou de conservar a gradação racial entre negros claros e escuros como instrumento para mantê-los distintamente apartados do que se compreendia como sociedade civil.

De fato, se o sistema da escravidão separava em grupos impenetráveis brancos e negros com o objetivo de contingenciar verbas públicas para a educação ou a saúde de brancos, ou de resguardar os melhores postos de trabalho de uma ocupação inopinada pela mão de obra negra, o sistema do colorismo pode ser compreendido como um aliado importante na organização social necessária para se manter essa ordem das coisas.

## 1.2 O COLORISMO VISTO DE FORA PARA DENTRO

Em termos práticos, a identidade racial expressa no corpo, entre outras características e outros elementos não exatamente biológicos, é identificável por larguras, espessuras, contornos e curvaturas de traços, pelos, textura do cabelo, biotipos, chegando até mesmo à tonalidade de mucosas e genitálias. Lábios, olhos, nariz, formato dos quadris, seios e genitais apontam o grupo de pertencimento racial de um indivíduo e, por conseguinte, a medida da fruição de direitos e de certas vantagens sociais. Entre todos esses elementos, no entanto, o fator predominante na escala racial discriminatória permanece sendo o da cor. É a quantidade de melanina na epiderme de um homem ou de uma mulher, na maior parte das vezes, o que ressalta de modo mais arguto qual será o local predeterminado na economia dos afetos e na distribuição de riquezas.

O tipo de projeto colonial exercido por Portugal no Brasil, além dos impactos seculares no subdesenvolvimento do país, também teve um impacto significativo na forma pela qual o colorismo se estabeleceu na sociedade brasileira. A organização da sociedade colonial passou por um período durante o qual certo nível de colaboração com os povos originários da terra foi atingido, mas num contexto em que camponeses existiam em proximidade com trabalhadores rurais e trabalhadores não qualificados. O trabalho qualificado em alguma medida era reservado às esferas de poder direta ou indiretamente mandatadas ou controladas pela metrópole, a exemplo das forças armadas, das milícias e da polícia nativa.

No entanto, para além das pessoas escravizadas, criou-se uma pequena burguesia nativa correspondente a uma classe intermediária. Essa classe intermediária, existente acima dos trabalhadores ligados à terra em situação de grande vulnerabilidade e dos operadores coloniais nativos e abaixo dos oficiais do Estado, teve uma formação fundamentalmente ligada à mestiçagem. Essa pequena burguesia nativa tem como sua base "as populações 'mulatas' daquelas sociedades escravagistas".[21] A hipótese do cientista político Cedric Robinson é a de que esse estrato da sociedade depreende certas vantagens do fato de que, em projetos coloniais de exploração, sem finalidades de fixação no novo mundo, havia certa flexibilidade na concessão de benesses às populações "marrons".

O colorismo, assim, na hipótese de Robinson, mesmo sem denominar o termo deste modo, pode ter sua origem traçada nos benefícios concedidos aos filhos de pais brancos, mas na específica condição colonial. Dessa maneira, aquilo que seria absolutamente inadmissível nas sociedades originais colonizadoras, cujo desenho familiar não poderia comportar o reconhecimento, ainda que lateral, da existência de filhos fora do casamento ou de uniões não regulamentadas com mulheres negras, tornou-se o meio pelo qual negros claros passaram a ser tolerados em espaços comumente a eles interditados.

> Este estrato "marrom" era frequentemente o problema natural de sistemas raciais onde o privilégio de posição e educação às vezes era concedido por pais (ou mães)

brancos. Em outros casos, foi o resultado de políticas deliberadas. (...) Onde os brancos são principalmente governantes temporários, seus números são geralmente pequenos. De modo geral, aquilo que é compreendido como casa é a Europa ou a América, sendo que nesta eles raramente lançam suas raízes. Nas Américas há pouca esperança de se desenvolver uma população branca significativa. A principal necessidade do homem branco não é um lar, mas um povo satisfeito e apto à exploração para desenvolver os recursos do país. Esta classe dominante adota uma política de "cooperação"; e, não dando importância para a igualdade, eles distribuem favores ou benefícios à população mestiça com base em seus aparentes graus de brancura distribuídos entre a população negra, mas mestiça. Os graus de cor tendem a se tornar um determinante de status em um gradiente contínuo de classe social, com brancos em sua parte superior (...) sendo que quanto mais clara for a pele do negro mestiço, maiores serão as oportunidades econômicas e sociais. (ROBINSON, 1983, p. 179)

O filósofo Achille Mbembe enxerga essas relações coloniais como uma brecha utilizada violentamente por homens brancos para viver sua liberdade sexual às custas da liberdade de mulheres negras. Ele afirma que, de fato, na colônia, era possível "romper com a ideia de que recalcar as pulsões sexuais no inconsciente seria uma das condições para atingir satisfações substitutivas".[22] Bem ao contrário, as mulheres negras serviram de terreno às experimentações sexuais daqueles que usaram a força para "viver na ausência de interdições".[23]

Os benefícios concedidos aos filhos nascidos dessas relações, cujas repercussões foram transmitidas economicamente de geração em geração, dão uma causa material para uma concepção falseada de que esses negros claros "perseveraram" ou "enriqueceram" porque seriam racialmente melhores, mais inteligentes ou mais competentes, em comparação aos demais negros sem sinais evidentes de mestiçagem. Assim como a transmissão de heranças entre brancos não tem qualquer relação com mérito ou valor, sendo esta tão somente fundada no fator de conservação da linhagem reconhecida pelo direito, entre os negros claros essa vantagem estava exclusivamente calcada no fato de poderem ser associados a um pai branco, permitindo que aqueles descendentes, ainda que não reconhecidos, dispusessem da possibilidade de estudar ou exercer uma profissão comumente reservada aos brancos.

Sendo assim, o desequilíbrio ainda visível entre negros claros e escuros inicia-se precocemente no período colonial, e suas consequências culturais ainda são fortemente sentidas. Muito longe de ser algo associável à meritocracia, a valorização da pele clara entre negros está ligada ao fato de que a mestiçagem sempre foi vista como o único modo de se "relacionar" com a negritude. Ao usar o "by-pass" do colorismo, o colonizador branco rifa a solidariedade entre negros, minando aquilo que poderia surgir espontaneamente no grupo: a legitimidade da utilização da evidente vantagem numérica para a revolta.

Durante séculos, da África após o contato com o homem branco até o Brasil-colônia e pós-republicano, a pele negra mais clara ficou submetida ao critério etnocêntrico daquilo que, embora não branco, é considerado mais palatável, mais próximo da bondade ou da graça. Em contrapartida, a pele negra mais escura, especialmente para as mulheres, continua sendo relacionada à crueldade e à repulsa. O colorismo, portanto, é uma criação do branco, e não do negro, no que tange à sua instrumentalização para organizar os espaços públicos e disciplinar quem tem e quem não tem acesso ao capital cultural.[24] Não perpetuar esses paradigmas depende, em alguma medida, da identificação de suas consequências na vida cotidiana e nas escolhas políticas.

A ideia de uma mulher delicada, cuja suposta fragilidade atende aos anseios patriarcais de um lugar social do homem como provedor, promovendo a superioridade deste, lançou sobre a mulher negra um duplo flagelo: ser mulher e ser negra de pele escura. Um oxímoro que exige fragilidade e doçura para gozar do afeto enquanto mulher, mas que pressupõe a força bruta do trabalho laboral e a rispidez associada ao mundo animalesco no qual são agrupados os predicados pejorativos da pele escura. Ela então habita um lugar de duplo prejuízo que lhe subtrai, além dos melhores postos de trabalho, o afeto necessário à construção de sua identidade e autoestima.

Dito de outro modo, tudo o que esteja expresso no corpo humano que possa ser remetido à africanidade é, invariavelmente, um componente do escrutínio colorista. Os séculos de cultura oral, experiências, produtos culturais e, sobretudo, de políticas públicas racistas foram capazes de modelar valores e morais que reduziram mulheres ao espaço familiar, mas que violentaram ainda mais as mulheres negras de pele escura, para as quais, mesmo neste espaço, as dificuldades constituir-se-ão em um duplo jugo de acepções negativas acerca de suas competências e de sua estética. Como empregadas domésticas, babás, trabalhadoras precarizadas, ou simplesmente desempregadas, as mulheres negras de pele escura vivenciam o colorismo tanto na esfera pública quanto na privada.

Muito embora seu nascedouro seja mais antigo do que o próprio tráfico negreiro, posto que o colorismo existe em África desde os primeiros contatos dos países do leste e do norte com as comunidades árabes e muçulmanas, nas Américas, na Europa, na Ásia e na África, o colorismo ganhou contornos modernos com repercussões econômicas e, muitas vezes, consequências mortíferas às mulheres. Para além da leitura racial, o colorismo estabelece características que, no Brasil, são responsáveis por calibrar o grau e a natureza do racismo para cada esfera de poder.

Em termos antropológicos, são citados possíveis elementos à dismorfia presente no reino animal para justificar aquilo que pareceria ser um elemento de compreensão na associação da pele clara à idealização do feminino. Entretanto, são hipóteses sem nenhum lastro científico, que não são conclusivas a respeito da influência de fatores sociológicos, sendo estes provavelmente mais determinantes na transmissão de comportamentos associados à alta complexidade da organização social humana.

Ademais, em muitas culturas milenares os homens tradicionalmente expõem-se ao Sol com mais frequência do que as mulheres, e isso poderia acentuar o que certos autores chamam de dimorfismo sexual, ou a busca por parceiras ou parceiros que detenham marcadores fortes de gênero. O fato da pele de uma criança escurecer com o tempo revelaria a associação da pele clara à juventude. Em algumas espécies de mamíferos, porém, algo raramente observável na espécie humana, a mulher tenderia a apresentar uma compleição mais escura quando está grávida ou quando não está no seu pico de fertilidade, o que justificaria a suposta preferência masculina pelo marcador de fecundidade ligado à cor da pele. Esses elementos, embora citados por alguns autores, entre eles Van den Berghe[25] e Peter Frost,[26] nunca encontraram provas de seu peso na valorização de peles não escuras. Parece, assim, evidente que a construção dessas preferências está ligada mais a fatores ambientais e sociológicos multifatoriais do que a uma só evidência ligada a associações inatas encontradas em outros modos de vida.

Para além das explicações reducionistas a um possível dimorfismo, é preciso considerar outros elementos socioeconômicos que atravessam a leitura do tom de pele em uma dada sociedade. Mulheres, que em muitas culturas também trabalham no campo, são preteridas por mulheres mais claras por força da associação da pele mais escura à exposição ao Sol decorrente do trabalho na lavoura. Um trabalho muitas vezes precário, que "marca" a pele do sujeito não só em termos de pigmentação, mas em função da classificação de classe social que dele decorre.

Entretanto, a suposta preferência pela pele mais clara, segundo Van den Berghe, faz referência a um quadro circunscrito à sociedade à qual pertencem esses indivíduos. Portanto, exclui-se nessa análise a presença de brancos exógenos:

A preferência transcultural e avassaladora pela pele mais clara, com assimetria sexual caracterizada, sendo esta uma preferência exercida por homens avaliando mulheres, e nunca o contrário, dentro dos limites do espectro local da variação cromática. (VAN DEN BERGHE, 1986, p. 87-113)

A suposta preferência não derroga as mulheres de pele clara da sua condição de negras, mas põe no centro do debate uma preferência existente nas culturas africanas com um sentido bastante distinto daquele dado pelo colonizador. A integração da mulher branca na equação muda completamente o quadro comparativo no qual esses valores estéticos — que são complexos, múltiplos e muitas vezes contraditórios — atuam na valorização ou desvalorização econômica, imagética e política de mulheres de pele escura. Entretanto, o processo de desumanização do negro parece ser o nervo mais estimulado em um processo que se orienta na criação de uma oposição bem marcada, estruturada na construção daquilo que chamaremos de branco.

A necessidade de criação da condição branca fez-se na Europa, embora ela seja heterogênea, ou seja, culturalmente diversa em termos de história e de traços fenotípicos. Basta lembrar que essa mesma Europa teve sua medievalidade marcada por guerras cujas notas distintivas eram justamente a oposição entre seus povos, constituídos por características não assimiláveis. Do mesmo modo, a Europa passou pelas transformações do capitalismo de modo totalmente assíncrono, a exemplo do descompasso de desenvolvimento mercantil entre Itália e Rússia nos séculos 17 e 18. Essas discrepâncias vividas no interior da Europa durante todo o período da Revolução Industrial levaram cada país a se constituir de modo diferente no interior de sua sociedade e, como não podia deixar de ser, em relação a tudo o que lhe é exterior.

A constituição da ideia de ser branco não é a mesma por toda a Europa porque ela não obedece a um sistema uniforme de organização social. Esse processo de sistematização da "condição branca" precisa de um elemento exterior forte que possa servir de anteparo da necessária oposição a algo, a outrem, a um território algures. As empreitadas coloniais foram o elemento que faltava. Com elas, a oposição entre ser negro e ser branco tornou-se um imperativo categorial para o genocídio indígena e o tráfico negreiro. A necessidade de tornar público e legítimo que certas vidas valem menos, ou não valem nada além do que uma mercadoria pode oferecer durante um curto espaço de tempo, advém dos processos coloniais que têm em suas empreitadas a justificativa de levar a civilização aos selvagens, e de financiar a vida daqueles e daquelas que gozam do status da condição branca e de um lugar privilegiado no sistema de classes sociais instituído.

O fato é que, em termos de África, a existência da valorização da pele clara — transformada modernamente pelo processo de colonização e acentuada pelo surgimento de um mercado bilionário de produtos clareadores — não apaga outras narrativas africanas, igualmente importantes, que enaltecem a pele negra de compleição escura. As profundas diferenças entre os povos africanos multiplicam intensamente o modo pelo qual eles se veem e são vistos, repercutindo, assim, na maneira pela qual o tom da pele é valorizado, a altura é considerada etc. Sendo assim, as ressignificações das compleições são variadas e correspondem à diversidade cultural africana, que não pode ser explicada por meio de uma única narrativa, seja ela da valorização maniqueísta do tom claro ou do tom escuro. Segundo Bonniol, a pele alva como símbolo de pureza e bondade faz parte da cultura de certa Europa, mas especialmente daquela que precisa ser valorizada para posteriormente justificar a classificação racialista de negros e, como não poderia deixar de ser, também de mestiços. Bonniol ressalta que na literatura greco-latina a palavra "condor", que significa "branco", era utilizada para descrever meninas, e que na Idade Média a pele clara era essencial para a feminilidade, associada a tudo aquilo que é branco, "marfim, arminho, cisne, pérola, neve".[27]

Portanto, atendo-se à materialidade do fenômeno socioeconômico do colorismo, resta-nos compreender a sua construção por meio do desenvolvimento dos ciclos históricos ligados à invasão de territórios e às relações de força e de poder que delas decorrem. Ciclos estes que recuperam narrativas seculares dos locais nos quais o poder circula, incluindo-os na engenharia do colorismo como maneira de controlar, estigmatizar e, sobretudo, superexplorar aqueles que são intencionalmente expurgados dos círculos de virtudes meticulosamente traçados para organizar essa exclusão.[28]

Algo semelhante também é observável na civilização muçulmana, notadamente no norte da África, como é notável nos poemas de Suhaym, poeta falecido em 660: "Se minha pele fosse rosa, as mulheres me amariam, mas o Senhor me puniu com uma pele negra".[29] Outrossim, Nusayb Al-Rashid, poeta que viveu até 791, diz: "Homem negro, o que você quer com o amor? Pare de perseguir as mulheres brancas, se você tem algum bom senso. Um etíope negro como você não tem nenhum meio de atingi-las".[30] Portanto, as associações hierarquizadas entre brancos e negros não nascem na modernidade, pois várias são as menções na literatura do norte da África e do mundo árabe que indicam a assimetria no tratamento dessas duas raças, em um momento em que árabes exercem o papel de alteridade, do olhar externo. Entretanto, a sistematização do racismo só se tornou uma questão de Estado com o advento dos processos ultramarinos de dominação. Os processos coloniais europeus souberam muito bem cavar no imaginário cultural os elementos necessários para estabelecer uma distinção racial que pudesse servir posteriormente para a escravização em massa e, posteriormente, o apartheid, oficial ou velado, praticado por alguns governos até pouco tempo atrás, no século 20.

# O COLORISMO INTERNO: ASPECTOS DA INTROJEÇÃO

É forçoso reconhecer que a categoria política do "privilégio branco" não encontra equivalente na dimensão racializada negra. Isso quer dizer que não existe algo equivalente ao "privilégio negro", assim como o conceito falacioso de "racismo reverso" não resiste à análise estrutural das suas muitas contradições. Por esse motivo, é importante lembrar que, muito embora a dotação dessas características tenha graus e naturezas distintas, mulheres negras de pele clara, assim como homens negros de pele clara, jamais, em momento algum, poderão gozar daquilo que se compreende como privilégio branco enquanto a sociedade estiver economicamente organizada para explorar essas distinções. Não à toa, adverte Fanon que "onde quer que ele vá, um preto permanece um preto".[31]

Internamente, negros claros são beneficiados por negros de pele mais escura porque o racismo estrutural não poupa sequer aqueles que estão sujeitados a ele. Externamente, a sociabilidade, de um modo geral, notadamente a branca, concede vantagens à presença do negro claro, em detrimento do negro escuro. Em uma sociedade ainda profundamente racista como o Brasil, a distribuição do poder leva em conta o fator negritude, inobstante, em certos casos, o status socioeconômico. Ser rico, diplomado, servidor público ou um atleta reconhecido não protege o indivíduo de ser escrutinado segundo os critérios preestabelecidos socialmente do colorismo.

O que não significa pensar, todavia, que seria possível homogeneizar os processos de hierarquização social entre negros e negras de pele escura e de pele clara. Homens de pele escura beneficiam-se da ideia de força em certos circuitos sociais, enquanto mulheres de pele escura só encontram atributos negativos no exercício de suas profissões ou no chamado "mercado de afetos" das relações amorosas que, infelizmente, não está ao abrigo da influenciada hierarquização racial. Evidenciar o processo de embranquecimento cultural e político a que são submetidas mulheres e homens passa, portanto, pela etapa de se reconhecer que questões relativas a classe e gênero estão mais que intrinsecamente ligadas ao colorismo. A organização econômica da sociedade brasileira é baseada no vilipendiamento diário de mulheres negras — processo do qual homens brancos e negros participam de modo distinto.

Deise Queiroz, professora da Universidade Federal do Recôncavo da Bahia (UFRB), em entrevista à coleção Feminismos Plurais,[32] adverte que o debate "espinhoso" do colorismo é imprescindível, notadamente quando é feito "para dentro". Ela explica que o contingenciamento de quem pode ser considerado branco em um país miscigenado depende de uma sofisticada rede de associações e critérios que delimitam na grande bacia de negritudes brasileiras aqueles que possuem marcadores raciais suficientes para serem considerados negros claros ou negros sem marcadores aparentes de mestiçagem. Para além da pigmentação da pele, o colorismo leva em conta toda e qualquer marca de africanidade relevante na indicação de seu pertencimento não branco, hierarquizando os sujeitos de acordo com o número e a intensidade dessas características.

> Num país como o Brasil que estruturou sua modernidade a partir do processo de embranquecimento como uma das estratégias para o extermínio da população negra, o movimento negro no final do século 20 obteve uma grande conquista ao construir a categoria "negro" agregando "pretos" e "pardos", enfrentando

a pulverização racial que, propositalmente, reduzia a presença da população negra como um contingente significativo, aliás, contingente superior na formação da população brasileira. Esse passo foi fundamental para a reivindicação de políticas públicas voltadas para a população negra. Entretanto, essa estratégia bem-sucedida do movimento negro não dissolveu as clivagens postas pelo modo como o racismo opera na sociedade brasileira. Pelo contrário, a clivagem promovida pelo racismo evidenciou mais uma das crueldades desse sistema extremamente violento: selecionar um padrão mais próximo da branquitude, considerando marcadores como tipo de cabelo (os famosos cabelos cacheados) e a cor da pele, produzindo mais exclusão dentro da exclusão, margeando ainda mais as pessoas pretas com cabelos crespos. Além disso, provocou um constrangimento político ao analisar e evidenciar como esse processo de exclusão tem sido sombreado, dificultando o debate que está na ordem do dia: a hierarquização racial entre negros, ocasionando mais vulnerabilidades para as pessoas pretas. Os dados oficiais das desigualdades sobre acesso ou direitos quando desagregado no quesito raça/cor mostra como as pessoas pretas estão mais suscetíveis, menos empoderadas, mais margeadas de direito e acesso a bens e serviços. (QUEIROZ, 2020, entrevista para a coleção Feminismos Plurais)

Assim, avaliar as causas e as repercussões do colorismo na sua matriz ideológica é fazer reverberar a força e os limites das determinantes econômicas e das condições históricas em um país profundamente marcado pela formação escravocrata. É também considerar que a racialização atravessa homens e mulheres[33] de modo distinto, sem, no entanto, subjetivar a adoção de práticas racistas. Elas têm causas estruturais, como bem assevera Silvio Almeida na obra *Racismo estrutural*, das quais homens negros, apresentando ou não algum traço aparente de mestiçagem, são tão vítimas quanto as mulheres. Assim, reconhecer a existência das camadas de sexismo e misoginia que se agregam ao corpo da mulher negra, bem como ao modo como essas concepções relacionam-se com a posição social ocupada pelo sujeito racializado, torna-se um pressuposto de compreensão das relações de produção em uma sociedade capitalista.

Uma alegoria possível do processo de desnudamento das redes de opressão é aquela representada pela sala escura. Em uma sala na qual há ausência de luz, em um ambiente hermeticamente fechado, não é possível ao sujeito cognitivo conhecer todos os adornos, os móveis ou mesmo a extensão da sala, fazendo-se valer da luz de um isqueiro. Ao se jogar a luz de um isqueiro sobre um dos objetos da sala, faz-se sombra necessariamente em todos os outros elementos, que permanecem ignorados. Cada aspecto momentaneamente inteligível esconde uma multiplicidade de outros sob a penumbra. Uma sala, pode-se dizer, organizada e preconcebida para esconder e mantê-los fora do campo de visão. O que não é enxergado não existe, e o que não existe não incomoda, não causa angústia, não interpela e, portanto, permanece imutável. Pende para o esquecimento. É preciso lembrar que, em sociedade, nada se faz ou se compreende de modo unidimensional, tampouco dualista.

## 2.1 O COLORISMO E SUAS RESSIGNIFICAÇÕES POSSÍVEIS

A obra de Alice Walker de 1983, *In Search of Our Mothers' Gardens* [*Em busca dos jardins de nossas mães*, em tradução livre], inaugura no Ocidente a abertura de um conceito que sustenta a análise do fenômeno consistente no tratamento diferenciado oferecido às mulheres negras de pele clara ou escura. Ao contar a história de como essas mulheres negras, porém diversas entre si, interagem em um mundo organizado para escrutinar seus corpos e comportamentos, ela define o colorismo como um tratamento que pode ser prejudicial ou benéfico "para pessoas da mesma raça com base apenas na cor de sua pele".[34]

Ela estabelece o colorismo como um bloqueio das vias de libertação do povo negro, que, como o "colonialismo, o sexismo e o racismo",[35] impede que um reconhecimento mútuo horizontalizado da diversidade atue como catalisador das reparações históricas necessárias e, evidente, da transformação da sociedade que fundou essas diferenças. Romper esses diques internos torna-se, assim, uma urgência, que passa pela responsabilização de negros e negras claros de cessar ou refutar todo e qualquer papel de agente reprodutor da lógica colorista. Entretanto, é preciso, antes de tudo, entender como o conceito de raça se estabelece para que possamos definir com mais precisão qual é a natureza do colorismo, em termos políticos e econômicos, assim como identificar a extensão dos seus efeitos nos espaços públicos e privados.

Gerações de negros e negras morreram com seus "dons verdadeiros abafados dentro de si",[36] e revendo as atuações brilhantes de Ruth de Souza e Chica Xavier, ouvindo Milton Nascimento e Elza Soares, é possível dar dimensão ao tamanho da perda humana que esses processos causaram em todo o mundo. É preciso uma dose extra de coragem e ousadia para enfrentar as múltiplas engrenagens do racismo para se fazer como criador de cultura.

Quando Walker faz menção às vozes de Nina Simone, Billie Holiday e Aretha Franklin, entre outros, ela o faz para indicar que a qualidade dessas contribuições artísticas em um mundo tão adverso é a prova irrefutável do que foi perdido pela humanidade, além da comunidade negra especificamente, durante o longo período no qual se apresentar em um palco seria para essas pessoas impossível.

A visibilidade do corpo negro só foi possível durante séculos dentro da estigmatização do racismo. Relegado ao restrito papel do exótico, como uma amostra de um mundo selvagem longínquo, como no malfadado caso de Sarah Baartman (na verdade, Saartjie Baartman), explorada pelo cirurgião inglês William Dunlop em um espetáculo de profunda violência com aquela que era o "objeto do espetáculo", sob a alcunha de "Vênus Hotentote". Para satisfazer aos olhares, ela era apresentada acorrentada, nua, com exceção de um pequeno tecido que cobria sua vagina, a fim de andar no palco de quatro durante o espetáculo circense. Após sua morte, toda a sua vagina foi retirada para conservação sob formol, e durante décadas foi exibida em museus europeus. Somente em 2002 a França permitiu que os restos mortais dela fossem levados para o seu país natal, a África do Sul.

O caso do guerreiro de Botswana empalhado pelo comerciante francês Jules Verreaux e posteriormente vendido para ser exposto em museus do governo da Catalunha como "El negro" é outro exemplo. O corpo do homem só foi devolvido a seu país para um enterro digno em outubro de 2000. No caso do menino congolês Ota Benga, sequestrado e levado aos Estados Unidos em 1904 para ser exibido na mesma cela que macacos do zoológico do Bronx, no estado de Nova York, um pedido formal de desculpas pelo crime só foi emitido em 2020 — 114 anos depois. Ota Benga faleceu em 1916, dez anos depois de sua libertação. Os fundadores do zoológico, Madison Grant e Henry Fairfield Osborn, eram eugenistas conhecidos na época. Osborn foi um renomado gestor, e por mais de vinte e cinco anos comandou o Museu Americano de História Natural, que sediou o segundo Congresso Internacional de Eugenia, em 1921. Nesse caso, o pedido formal de desculpas da instituição só veio depois de décadas de denúncias por parte de militantes dos movimentos negros — denúncias essas que a instituição ignorava ou rebatia com argumentos que posteriormente se mostraram falsos. A comunidade negra estadunidense só obteve vitória após a repercussão mundial da morte de George Floyd, que parece ter sensibilizado os novos dirigentes da entidade.[37] Esses casos de extrema instrumentalização da vida negra para o "entretenimento" de brancos indica algo de valioso no entendimento do processo de hierarquização de negros: é preciso associar o negro ao mundo animal, concomitantemente à evacuação das suas qualidades humanas. O colorismo serve-se desses preceitos para, uma vez presentes algumas características desvinculadas da imagem africana, discriminar positivamente os sujeitos mestiços em virtude de algum traço associado ao tipo branco.

Lélia Gonzalez nos ensina que falar sobre a condição negra é um risco, exatamente como é um risco falar de colorismo quando porta-se a condição da mestiçagem — "o risco que assumimos aqui é o do ato de falar com todas as implicações".[38] De fato, afirmar-se preta em um país que deseja com todas as suas forças que mulheres negras, claras e escuras, aproximem-se do espantalho branco criado na fantasia brasileira nunca foi e nunca será uma escolha em uma sociedade racista. Afirmar-se como negra não é opção, não é escolha, não pertence ao campo volitivo da conveniência.

Negros de pele clara descobrem precocemente, antes mesmo do início da impubescência, que seu desejo de integrar o grupo branco é interditado, exatamente como acontece com negros de pele escura. O que ocorre, contudo, é que as crianças de pele mais clara, dependendo de suas características fenotípicas e do seu capital cultural, tendem a se reinventar para buscar um lugar nesses grupos que, no mundo infantil, são os mais importantes lugares de construção identitária social — na escola, na vizinhança, nos cultos, nos clubes ou mesmo nos círculos familiares. Muito embora a aceitação do negro mestiço nesses grupos nunca seja completa, uma vez que ela permanece sob o jugo de uma subalternização rigorosa, o negro de pele clara consegue uma inserção que, geralmente, é interditada por completo ao negro de pele escura.

Sem sombra de dúvida, as dinâmicas desses grupos marcam os indivíduos para sempre, com repercussões que serão sentidas na vida adulta, como a ideia de subalternização do negro de pele clara, ou do estranhamento ou desconsideração absoluta do negro de pele escura. Ter a possibilidade de brincar com outras crianças, ou fazer parte do grupo, ainda que sob condições, podem parecer coisas risíveis para adultos, mas constituem todo o mundo no qual a criança se ampara a fim de se desenvolver fora do âmbito parental. Por isso a crueldade do racismo é tão perniciosa na construção dessas relações, pois reproduz e seculariza nas identidades de negros e brancos um lugar pré-determinado para ambos. Essa predeterminação racialista só poderá chegar ao fim se a educação antirracista se iniciar desde o nascimento do indivíduo — mas para isso faz-se necessário pais e mães conscientes de que essa responsabilidade também lhes pertence.

O efeito deletério do colorismo atinge o modo pelo qual mulheres negras de pele clara se relacionam com mulheres negras de pele escura. A perniciosidade da competição que se instala dentro das comunidades não é criação das comunidades negras, ela é criada externamente pela secularização da hierarquização social sob a qual ambos os grupos padecem. Contudo, impedir os ciclos de subalternização de negras de origem mestiça e de exclusão absoluta de negras escuras depende da compreensão desse fenômeno. Dentro das comunidades negras há um código não escrito, um interdito que só começou a ser quebrado massivamente há poucas décadas. Com exceção dos movimentos sociais organizados e da militância política estruturada, como é o caso do Movimento Negro Unificado (MNU) e de tantos outros grupos antirracistas que orgulhosamente se colocam no espaço público para exercer seu papel de representação da comunidade, negros e negras aparecem cada vez mais presentes nas redes de poder sem necessariamente aparecerem em bloco, sem invisibilizar sua existência como grupo.

Como aponta bell hooks, essas "castas internas" constituíram modos eficientes de controle da comunidade negra e, hoje, mais do que nunca, precisam ser compreendidas para, posteriormente, serem superadas.

> Mesmo em face da instituição mais cruel do racismo — a escravidão —, inicialmente, em todas as frentes, os negros escravizados se recusaram a abraçar as noções brancas de nossa inferioridade, mas isso mudou quando o racista branco distribuiu privilégios e recompensas com base na cor da pele. À medida que isso acontecia, não se dividia apenas os negros uns dos outros, criando um nível de desconfiança e suspeita que não existia quando todos os negros eram semelhantes na cor da pele, lançando também a base para a assimilação. As práticas da supremacia branca de procriação por meio do estupro de mulheres negras por seus proprietários

brancos produziram descendentes mestiços, cujas cor de pele e características faciais eram, de modo frequente, radicalmente diferentes da norma negra. Isso levou à formação de uma estética de castas de cor. Enquanto o racista branco nunca tinha considerado antes os negros bonitos, eles criaram uma estética mais valorizada para negros mestiços. Quando essa consideração assumiu a forma de concessão de privilégios e recompensas com base na cor da pele, os negros começaram a internalizar valores estéticos semelhantes. Para compreender o sistema de castas de cor e seu impacto na vida negra, temos que reconhecer a ligação entre o abuso patriarcal do corpo das mulheres negras e a supervalorização da pele clara. A formação, por parte da supremacia branca, de um sistema de castas de cor onde a pele mais clara era mais valorizada do que a pele escura foi obra do patriarcado de homens brancos. Combinando atitudes racistas e sexistas, individualmente os homens brancos mostraram-se favoráveis à pele clara e à raça de negros que surgiu como resultado de sua agressão sexual aos corpos das mulheres negras. Enquanto os homens brancos utilizavam o corpo das mulheres negras de pele escura como simples receptáculos para violentos atos sexuais sem o desenvolvimento de quaisquer laços emocionais, seus laços biológicos aos negros de origem mestiça os levaram ao desenvolvimento de sentimentos diferentes e diversos. (HOOKS, 2001, p. 57-58)

Segundo a autora, a atribuição de características pejorativas a mulheres de pele escura e a "erotização estética"[39] de negras claras deram vantagens a estas últimas, "criando um sórdido contexto de competição e inveja que se estendeu para além da escravidão".[40] A tristeza desse processo é que os homens negros passam a reproduzir os mesmos valores dos proprietários brancos, valorizando "negras claras em detrimento das suas homólogas mais escuras".[41] Essa introjeção do colorismo, que para hooks nada mais é do que uma "casta de cores da supremacia branca", torna-se o "golpe de mestre" dos supremacistas. Encorajando homens negros a rejeitar mulheres mais escuras, a supremacia branca chega até os lares negros, cujas crianças de pele mais escura "tendem a não ser valorizadas como as crianças negras claras".[42] Uma tragédia que ecoa nos dias de hoje.

Traçar as origens do colorismo oferece fortes indícios de que sua eliminação não será possível se uma transformação de valores ocorrer somente na esfera da comunidade negra. Considerando, assim, o modo de criação do fenômeno, cabe principalmente àqueles que se beneficiam estruturalmente dessas hierarquizações raciais oferecer criticamente tempo e energia para a consolidação de soluções que possam resultar na eliminação da discriminação. A responsabilidade das comunidades negras é de não adotar a malfadada postura política da "cegueira racial" internamente no que toca ao colorismo, assumindo sua existência e se mobilizando para a sua desconstrução. Como ocorreu com o racismo, é preciso pontuar sua existência sem cair na armadilha de pensar que esse fenômeno tem menos importância do que o próprio racismo.

No Brasil, durante muito tempo a estratégia de sobrevivência apreendida nas ruas, nas escolas e nos becos era a de "existir com discrição". Seja para não chamar a atenção da polícia, ou simplesmente para não nos visibilizar como grupo, atraindo as associações racistas, as piadas e, obviamente, a exclusão. Geralmente, crianças mais claras buscavam se desassociar das mais escuras nos pátios das escolas para evitar a associação de grupo, que pode ter resultados trágicos de bullying para elas. Crianças negras aprendem rapidamente a se dispersar, a não atrair os holofotes para si de modo isolado. Há toda uma arte aprendida na prática, e na carne, para evitar troças racistas criadas pela associação de grupo. Era na diluição de suas existências nos grupos que elas encontravam mais chances de ser tratadas dignamente se fossem discretas, sem mirar na liderança do grupo ou no lugar de mais destaque. A militância mudou isso, e cada vez mais as crianças passam a se sentir livres para, caso queiram, formar seus grupos, inclusive para poderem se defender do racismo em bloco.

Contudo, a puberdade e a vida adulta adicionam uma dimensão política mais complexa às relações. Por isso, a compreensão das especificidades do colorismo constitui um fator importante para a estruturação não só de uma resistência antirracista em comum, mas também de um projeto de sociedade igualitária que promova a garantia do espaço existencial de negros de pele clara e de negros de pele escura.

O que vemos nas escolas e nas ruas quando negros de pele clara se beneficiam de um tratamento mais acolhedor em comparação àqueles de tom mais escuro e traços associados à africanidade não pode ser considerado um tratamento "menos racista", dada a permanência da condição não branca e, infelizmente, subalterna aos olhos racializados. Essa permeabilidade é, de fato, tributária de um racismo diferente que, no entanto, exclui de modo mais ultimado aqueles que apresentam traços mais fortes de africanidade. São estratégias de sobrevivência que só podem ser alteradas a partir da compreensão política dos nossos lugares e do peso da nossa organização política. Mas isso, em relação aos adultos, às mães e aos pais, pois não se pode esperar que crianças tenham a maturidade emocional de resolver, na infância, o que séculos de guerras e revoltas não foram capazes de dirimir.

Um relato muito comum dessas circunstâncias da infância negra é o da amizade sincera entre a moça mais bonita da escola, branca, e a negra de pele clara. Entre o garoto popular da escola e o menino negro escuro e franzino. Essas relações, muitas vezes, escondem subalternidades que dificilmente são superadas. E daí surge a pergunta: nessas dinâmicas, qual é o lugar do negro de pele escura? Geralmente, se não houver outras crianças negras, é o da solidão, salvo se excepcionalmente um laço for criado com uma criança branca que, como na vida adulta, infelizmente ocupa o espaço do agente validador do negro, de uma quase tutela da negritude admitida parcialmente pelo intermédio do corpo branco. Essas relações atravessadas por condescendência e recalques precisam ser superadas, levando-se em conta que a dimensão afetiva também está relacionada à maneira pela qual o lugar de subalternidade é construído, considerando a geopolítica dos espaços, o patrimônio material e imaterial acumulado, os sotaques e o modo como nos apresentamos racialmente no mundo.

Essas narrativas, frequentes nas comunidades negras, não invalidam as amizades e os laços de verdadeira irmandade entre negros e negras, algo que não só é possível como também é primordial na construção das resistências aliadas contra o racismo. Tais narrativas tão somente indicam que a solidariedade[43] dentro da comunidade negra depende de uma visão política habilitadora de uma relação de maior irmandade entre negros de pele clara e negros de pele escura, sem a qual o colorismo e o sexismo se perpetuarão sobre os corpos dos que virão depois de nós.

De fato, ninguém que seja considerado branco ou branca pode investir-se da condição negra sem que isso seja visualmente identificado com certa rapidez. E muito dificilmente um negro claro consegue trânsito completo nas esferas de poder nas quais a presença negra é praticamente inexistente. Ademais, a implantação de políticas públicas em consonância com as pautas importantes da comunidade negra, como moradia digna, emprego, saúde e educação pública de qualidade, não consta como prioridade de quem nasce branco e herdeiro de patrimônio e de reserva no espaço público para dar voz às suas reivindicações de classe. Por isso, as políticas de cotas de inserção em carreiras públicas, ou nas universidades, continuam se mostrando eficientes, apesar de casos pontuais de fraude. Os procedimentos previstos para identificação de fraudadores, ou seja, brancos tentando se passar por negros, têm se mostrado suficientes para inibir o desvirtuamento dessas ações afirmativas.

Essas medidas de inserção racial nos espaços quase impermeáveis aos negros no Brasil são importantes, muito embora continuem sendo paliativos diante do quadro geral de racismo estrutural do país. A hierarquização das cores faz parte do *modus operandi* do capital, da criação necessária de bolsões de trabalhadores reificados, dispensáveis e ultravulnerabilizados, cuja justificativa encontrou amparo na ciência quando do florescimento das teorias eugênicas. Igualmente no campo cultural e político, essas forças centrífugas que posicionam o branco no centro atuam também sobre indígenas e asiáticos. Subjugados pelo mesmo capital, é certo que qualquer sorte de aliança entre oprimidas e oprimidos faz-se necessária, sem a qual não é possível romper o jugo em comum ao qual sujeita-se todo racializado periférico. Se racismo e colorismo entre negros, asiáticos, indianos e indígenas possuem critérios e características diferentes,[44] não há dúvida de que as repercussões econômicas e sociais ligadas ao empobrecimento e à marginalização são muitas vezes semelhantes. Portanto, esse jogo de luzes deve visar à pluralidade de dimensões que a sociedade comporta. Há luz para tudo e para todos. O desafio desse exercício é fazê-lo considerando que o foco deve primar pela totalidade da sala, usando algo maior do que um isqueiro para iluminar seus eixos constitutivos tão largamente esquecidos.

## 2.2 O COLORISMO E O RACISMO NOS ARRANJOS DO CAPITAL

"O capitalismo requer a existência de uma massa de subalternos de trabalho excedente."[45] Essa afirmação de hooks em 1994 reforça sua tese de 1967 que já asseverava que a estrutura de classe no seio da sociedade estadunidense era modelada pela política racial da supremacia branca, de modo que "a luta de classes está intrinsecamente ligada à luta contra o racismo".[46] Igualmente, Angela Davis dedicou o trabalho de toda uma vida a desvelar as relações intrínsecas entre as lutas contra o capital, o sexismo e o racismo.[47] Denunciando os ângulos mortos e o absoluto desconhecimento sobre as condições específicas de mulheres negras que desserviam às primeiras ondas do feminismo, Davis sublinha que na luta por igualdade a contestação do capitalismo monopolista é essencial, assim como a construção das redes de solidariedade com os trabalhadores, notadamente os precarizados.[48]

Portanto, o fato de mulheres brancas não assumirem as perspectivas femininas negras como pautas válidas — tampouco visibilizando as narrativas negras e o protagonismo negro de mulheres capazes de portarem elas mesmas suas causas, sem intermediárias ou representações —, configura inexoravelmente um desdobramento da ausência do eixo de classe e de raça na composição das reivindicações feministas. Uma mulher trabalhadora branca não enfrenta os mesmos limites que uma mulher trabalhadora negra. Esta assume o fardo da precarização do trabalho em uma proporção muito maior, aliando vulnerabilidade econômica à secularização da sua marginalização existencial em termos estéticos, afetivos e culturais. O capital se utiliza de dados culturais para fragilizar a maior parte das mulheres, que no caso do Brasil são negras, hierarquizando os corpos pela estratificação das opressões baseado no colorismo, mas também fragmentando o *corpus* político negro ao impor o falseamento dessas negritudes e branquitudes. O colorismo é, assim, um testemunho vivo da plasticidade com a qual o capital opera sua tecnologia.

As distinções entre a escravidão praticada em alguma medida no continente africano e aquela iniciada pelo tráfico negreiro colonial são importantes, e não negligenciáveis. Imediatamente, é importante dizer que a escravidão não era uma prática inerente a todos os povos e tribos do continente, a exemplo da sociedade dos Sherbro, no território hoje equivalente à Serra Leoa, que só veio a conhecer a escravidão quando foi invadida pelos primeiros colonizadores.[49] Se a prática da escravidão se estendia sobre a África de maneira heterogênea antes das invasões, o mesmo não pode ser dito das missões coloniais europeias. Estas impuseram-se de modo avassalador e homogêneo sobre o continente, impressionando pelos números da empreitada colonial. O tratado transatlântico culminou no sequestramento de treze milhões de homens e mulheres entre 1440 e 1870, dos quais mais de dois milhões não sobreviveram aos horrores da travessia atlântica a bordo dos cativeiros construídos dentro dos navios negreiros.

Entretanto, o continente africano conheceu outras formas de escravidão antes da chegada do colonizador europeu. Do século 8 até o século 20, há relatos abundantemente documentados pela historiografia sobre práticas escravagistas no continente africano, que se intensificaram com o processo do tráfico transaariano de escravos, também conhecido como tráfico árabe de escravos. Muito embora esses comércios não se estendessem sobre a totalidade do continente, eles compuseram parte considerável das transferências de recursos e sujeitos de forma forçosa, e igualmente cruel, que são de fato pré-capitalistas. Contudo, as razões desse tipo de escravidão fundam-se em processos históricos e econômicos bastante distintos. No lugar daquilo que foi o cristianismo[50] para as empreitadas coloniais europeias, o arrimo metafísico das regras de quem pode ou não pode ser escravizado nesse caso é o islamismo.

Antes da chegada do europeu, portanto, o mundo islâmico encontrava na cosmologia africana um elemento de desconsideração da humanidade negra, dada sua natureza diversa e sua origem tribal profundamente aliada aos conhecimentos seculares das tribos e povos africanos. Considerados pagãos e bárbaros por sua natureza não convertida, haja vista seu não reconhecimento de Maomé como chefe religioso, o suporte ideológico da escravidão encontrou, assim, um vasto terreno de florescimento. Tal fator, aliado à superioridade bélica dos muçulmanos, fez de inúmeros povos africanos alvo preferencial para o sequestramento e o cativeiro daqueles povos, o que pode ter escravizado entre oito e dezessete milhões de africanos.

Ainda nesse inventário das principais diferenças entre o tráfico transatlântico de escravos e o tráfico transaariano — em que pese terem ambas empreitadas visado homens e mulheres negros como objetos da exploração total de seus corpos —, há que se sublinhar uma distinção de gênero importante entre esses dois processos. As finalidades do aprisionamento e da exploração total dos corpos negros empreendidas pelo tráfico interno na África não se confundem com aquelas que visavam às *plantations* nas Américas. O tráfico transaariano de escravos tinha em vista mais os corpos femininos que os masculinos, e deixava alguma autonomia a essas pessoas escravizadas, muito embora formas mais duras e próximas das condições extenuantes de trabalho nas Américas também tenham se desenvolvido em algumas regiões.[51]

Entretanto, destaca-se a presença majoritária de mulheres negras nos processos de captura e venda, geralmente associados ao fator reprodutivo do sexo feminino. Antes da invasão europeia,[52] havia duas maneiras pelas quais as mulheres negras eram exploradas depois do seu sequestramento e cativeiro: nas sociedades pautadas pela linhagem, as mulheres escravizadas realizavam trabalhos agrícolas e domésticos; já nas sociedades dinásticas, elas exerciam um trabalho altamente valorizado de administração, cumprindo um papel político naquelas sociedades. Nas sociedades dinásticas escravocratas a mulher negra tornada escrava não representava qualquer perigo, posto que não era considerada membro da família, e não podia, portanto, firmar alianças que ameaçassem a organização das redes de poder. Por isso, eram compradas para se tornarem concubinas nas sociedades em que a linhagem patriarcal definia as regras de pertencimento familiar.[53] Os horrores da submissão às sevícias do proprietário estavam calcados em uma razão particular: nessas sociedades, era menos dispendioso "comprar" uma concubina negra do que esposar uma mulher livre e pagar o dote aos seus pais. Como bem ensina o provérbio swahili, "uma mulher nunca é livre".

Soma-se à situação degradante de toda e qualquer forma de tolhimento da liberdade existente no tráfico transaariano o fator do tom da pele da mulher escravizada. Nas Áfricas, em suas pluralidades, há um contínuo desenvolvimento de valores estéticos muito próprios às particularidades de cada nação, nos quais é possível perceber uma valorização perturbadora das mulheres de pele clara. Valores longevos da sociedade africana em relação aos critérios de feminilidade e da beleza da mulher negra são encontrados em sociedades como as dos Massa e dos Moussey, existente no norte dos Camarões, assim como nas dos Peuls, entre os quais a pele clara é um atributo valorizado. Como narra o historiador Jean-Luc Bonniol,[54] certas cantigas tribais nomeiam as peles consideradas mais bonitas como "vermelhas" ou "acobreadas", em detrimento daquelas de tons mais escuros. Essas narrativas, espalhadas por quase todo o continente africano, parecem ter sido de algum modo recuperadas pelo colonizador europeu que, utilizando de um tropismo existente em alguma medida, fez de um elemento da estética negra, entre tantos outros, algo que passou a ser o fator-chave de desumanização de homens e mulheres africanos.

O que era um elemento entre outros na caracterização do feminino tornou-se o ponto central da clivagem entre humanos e esses supostos selvagens. A instrumentalização dos elementos culturais estéticos que coexistiam entre outros construídos por centenas de anos foram, assim, usados contra aqueles que sofriam o processo de colonização. Eis que, assim, o que era usado para distinguir mulheres, e não humanidades, uma vez desancorado da cultura que lhe dá sentido, abandona seu esteio de mera coordenada estética de feminilidade. A valorização última de uma pele clara torna-se veículo de escamoteamento das razões econômicas da escravidão e das suas formas correlatas de opressão — inclusive contra aqueles homens que haviam, anteriormente, contribuído para a reprodução cultural da narrativa da beleza da pele clara. Um fenômeno existente também na Índia que, embora apresente uma cultura colorista profundamente arraigada na organização dos espaços públicos e privados, é uma sociedade distinta culturalmente da África no que tange ao tratamento do colorismo.

Esses elementos indicam uma preferência cultural digna de nota no que tange à questão da pigmentação da pele, podendo esta ser considerada um fenômeno cultural existente em algumas regiões do continente africano. Contudo, essas preferências, que são heterogêneas e não sistêmicas, não podem ser comparadas ao fenômeno do colorismo, cuja origem se inscreve no quadro da escravidão, tendo, assim, um caráter estrutural. Se em algumas sociedades a pele mais clara era valorizada, em outras o tamanho e a forma do pescoço, dos lábios vaginais, do ventre ou dos quadris também eram consideradas referências importantes de beleza. Por essa razão, o colorismo na sua acepção moderna só se desenvolveu a partir do momento em que um arquétipo racial tornou-se a regra, enquanto o outro é tomado como o elemento desviante, a ser evitado ou desprezado de modo uníssono e sistêmico. Assim sendo, como afirma Ndiaye, é preciso evitar o reducionismo da hierarquização racial como mero detalhe das relações de classe, compreendendo esse fenômeno como parte integrante relevante e, acima de tudo, imprescindível na superação da forma-valor. Nenhum levante popular poderá ser efetivo se persistirmos em colocar 56% da população de escanteio, excluindo também sua colaboração na construção de vias alternativas de transformação.

(...) as minorias étnico-raciais foram não só negligenciadas, mas, além disso, foram colocadas como suspeitas de participar da desmobilização e da desfiliação da classe trabalhadora. As suspeitas tiveram um efeito paralisante sobre as Ciências Sociais e as políticas públicas de reconhecimento e de correção das discriminações. Fundamentalmente, a questão que se coloca ao marxismo é de tomar a sério o racismo e as formas de dominação racial, sem as dissolver nas relações de classe e sem considerar aqueles e aquelas que fazem parte dessas relações como alienados, ou seja, como incapazes de reconhecer a verdadeira natureza dos processos materiais e ideológicos pelos quais a classe dominante mantém seu poder. Desse modo, o racismo não procede simplesmente por ações calculadas das elites, assim como a luta antirracista não funciona a partir de ilusões de uma "falsa consciência". A análise das relações de classe não é suficiente para dar conta de todas as formas de dominação,

> mesmo se essas relações se encontram imbricadas de tal maneira que seria inconsequente jogar um véu de esquecimento sobre elas. É preciso pensar que, de um lado, temos a irredutibilidade da questão racial, e do outro, sua ligação indissolúvel com as relações de classe e de sexo. (NDIAYE, 2008, p. 93)

Entretanto, discutir o colorismo no seio das sociedades fundadas pelo colonialismo e organizadas pelo capitalismo depende da recolocação, no centro do debate, da exploração dos corpos e das vantagens em se depreciar grupos de trabalhadores diante de outros.

A guerra cultural contra negros não pode ser consumada se ela não for espelho e reflexo de presídios, de favelas e do trabalho precário. É preciso que o discurso e os símbolos que furtam a dignidade da condição negra encontrem respaldo material no mundo. Uma materialidade que dá azo às estruturas reprodutoras dessas condições materiais, dificultando o acesso à educação, à terra e ao trabalho.

# UMA PERSPECTIVA ESTRUTURAL DO COLORISMO

É por meio do esgarçamento dos elos culturais entre homens e mulheres negros, entre estes e suas famílias ampliadas, entre aqueles e seus antepassados e tudo o que historicamente importava para a transmissão das narrativas de constituição do "ser" negro que o racismo passa a operar vertical e horizontalmente. Verticalmente, os valores racistas desapossam o sujeito de ser sujeito, de ter história e de pertencer a uma linhagem. A redução do homem e da mulher à quantidade de força de trabalho que ele pode empregar em uma lavoura é aquilo que no marxismo chama-se transformação de valor de uso em valor de troca no capitalismo.

Na escravidão, essa operação encontra a totalidade — a privação absoluta de liberdade. Horizontalmente, o colorismo arregimenta os elementos reprodutivos da hierarquização racial criados nos processos de produção de valor, dando sentido à existência do racismo mesmo quando a mestiçagem passa a constituir uma parcela importante da comunidade oprimida. O colorismo leva a ordem racialista para dentro da comunidade submetida à estrutura racial tributária da escravidão que é administrada pelo capital. Muito embora o racismo dependa em alguma medida do capital para se reproduzir, o capital também opera sobre bases racialistas para organizar suas fases produtivas, sejam elas referentes às economias de mercado, sejam aquelas autoritárias e escravocratas.

Contudo, como bem ensina a filósofa Silvia Federici,[55] o capitalismo e o patriarcado não são, ao menos não sob o capitalismo, dois sistemas que funcionam de maneira separada. A isso adicionamos a ideia de que a supremacia branca como ideologia e, por conseguinte, o colorismo — cuja engenharia só é possível dentro da relação entre a divisão sexual do trabalho e os arquétipos de feminilidade —, são tributários das necessidades do mercado de trabalho e dos regimes de acumulação.

É preciso, aliás, frisar que o trabalho escravo de homens e mulheres tornou-se uma instituição de primeira ordem muito antes do tráfico negreiro. A escravidão, cuja existência foi a base da economia grega, também foi importante no Império Romano, por exemplo. Entretanto, é forçoso reconhecer que somente com a modernidade, com o açúcar e o algodão, é que a escravidão se tornou a pedra angular da colonização.

Assim, não se trata de moral, vício ou virtude de determinado período ou povo, mas de uma condição do estágio produtivo no qual o capitalismo se assenta. O horror do processo colonial, da escravidão e das torturas relativas à sua manutenção, aliás, parecem apenas reforçar a leitura de que o capitalismo não se assenta na dignidade das existências humanas, mas tão somente na busca incessante pelo aumento das taxas de lucro que se tornam rapidamente incompatíveis com a vida humana, ou com a própria sobrevivência do planeta.

O grande negócio lucrativo em que consiste o tráfico negreiro tornou-se, assim, a plataforma privilegiada dessa antiga/nova mercadoria: o escravo. O que começou com a irregular utilização de pessoas escravizadas pelos comerciantes de Veneza no desenvolvimento da agricultura em Creta, Chipre e Quios, tornou-se a primeira experiência de comércio de seres humanos sob o capitalismo.[56] Desde o início, foi o tráfico negreiro que se sobressaiu como um comércio mais importante do que o próprio trabalho escravo.[57] Desse modo, aquilo que começou como uma colaboração entre genoveses e ibéricos na Itália de avançado capitalismo no século 15, quando comparada ao resto da Europa, transformou-se na grande empreitada de dominação global da coroa portuguesa no século 16. A sanha portuguesa em alimentar o tráfico negreiro era tão grande que Afonso, o rei católico do Congo, escreveu àqueles com quem havia selado um acordo inicial, denunciando o não cumprimento das tratativas de negociação: "Há vários traficantes em todos os cantos do país. Todo dia há pessoas sendo escravizadas e sequestradas, mesmo nobres, até mesmo membros da própria família do rei."[58]

Isso posto, diante da insuficiência de trabalhadores livres disponíveis para o trabalho na Europa no século 16, a sociedade reorganizou-se para buscar outros recursos alhures e, consequentemente, uma nova ideologia promovedora da reificação de parte da comunidade humana surge para legitimar essa exploração.[59] Sendo o capitalismo um sistema que produz e oferece bens e serviços, notadamente aqueles imprescindíveis à subsistência de todo ser humano, sua organização não se estrutura na busca da felicidade geral ou da emancipação humana. Seu objetivo, do qual depende sua existência, é a possibilidade de extração da mais-valia.

A força de trabalho é, tão somente, uma das mercadorias essenciais ao mercado, um produto de base, o qual sequer o capital pode dispensar. Portanto, a mais-valia depende da existência funcional do mercado, do qual trabalhadores e capitalistas dependem materialmente. Na medida em que indivíduos são obrigados a vender sua força de trabalho para o mercado, capitalistas também dependem desse mercado para mobilizar os fatores de produção. Por isso, o capitalismo se distingue do feudalismo, entre outras questões, porque consubstancia-se no único sistema social no qual os produtores dependem do mercado para acessar os meios de produção.

Da mesma forma como foi importante para o feminismo se construir como um aspecto incontornável, e não subordinado, no seio do marxismo, o mesmo parece acontecer com o racismo e o colorismo. No tocante à miscigenação racial percebe-se que a nota distintiva é a existência do elemento negro, indígena, ou asiático, uma vez que um branco francês e um branco estadunidense não oferecem, por meio do fruto da sua união, perigo à hierarquização racial estabelecida no que tange ao ideário de supremacia branca. Não se fala, portanto, em miscigenação neste caso porque dessa união não há um elemento "fora da norma" branca a ser regulado.

Essas marcações raciais, ou seja, a identificação de quem não é branco, são importantes no capitalismo porque geram, no conjunto da classe trabalhadora e do precariado (como categoria da Sociologia e da Economia), mecanismos novos de "trabalho não pago", ou da simples extensão da jornada de trabalho, desde que sub-remunerada. As vulnerabilidades históricas de segmentos inteiros da sociedade, a exemplo de mulheres, ou de racializados, não só deixam de serem combatidas no capitalismo como passam a ser a pedra de toque dos processos de acumulação do capital, que geram resistência ao reconhecimento de direitos e aos questionamentos do sistema produtivo como um todo.

Como adverte David Harvey, lembrando um ensinamento importante de Marx, "a realização do capital na produção depende da 'desvalorização' do trabalhador".[60] Seguindo a tendência inescapável do capitalismo a melhorar suas taxas de lucro, sem o qual o sistema implode, resta inamovível a pressão crescente das estruturas econômicas, e dos seus paralelos políticos, sobre a criação de novos regimes de trabalho precário, como a da terceirização – que no Brasil é ocupado majoritariamente por negros; de políticas públicas que subsidiam o agronegócio (majoritariamente branco)[61] em detrimento da reforma agrária (majoritariamente negra); da adoção de políticas de austeridade que cortam investimentos no ensino público e na rede pública de saúde (serviços essenciais à população negra)[62] e da criminalização da pobreza e da violência policial contra negros.[63]

Por outro lado, a ocupação da instância estatal por grupos de pressão tributários de grandes fundos de investimento revelam a dependência do sistema produtivo e financeiro do Estado. Este, assim, administra as desigualdades não para eliminá-las, mas para torná-las interessantes às multinacionais e aos fundos de investimento que compram grandes porções de terra em áreas que deveriam estar protegidas, ou consagradas aos povos indígenas, quilombolas ou ribeirinhos instalados há séculos nessas regiões. A torção da interpretação de direitos e a ausência de políticas públicas que viabilizem a saída desses grupos da pobreza extrema ou da precarização fazem uso do racismo e do colorismo para priorizar outros campos da sociedade, percebidos como produtivos, ou mais importantes.

Silvia Federici aponta que os paralelos possíveis entre a exploração de mulheres e de negros indicam justamente o modo pelo qual o capitalismo opera nessas desumanizações que justificam o trabalho não pago, ou sub-remunerado, no fito de garantir sua perenização, indo do "trabalho doméstico que se espera de mulheres, à exploração das colônias e das periferias do mundo capitalista".[64] Federici indica, assim, a existência de uma hierarquia do trabalho no qual "uma ideologia racista e sexista"[65] divide o campo daqueles que deveriam se organizar contra um sistema que os hierarquiza, e faz disso um regime que disciplina seus corpos e suas existências políticas.

Aliás, a maneira pela qual exploram-se países africanos, asiáticos e latino-americanos são um testemunho vivo de que certas práticas predatórias de seres humanos e do meio ambiente só são toleráveis no Sul porque nele habitam aqueles cuja humanidade pode ser franqueada.[66] Crimes ambientais como aqueles ocorridos em Brumadinho e Mariana, o trabalho análogo ao da escravidão nos rincões do Brasil, subjugando em larga maioria negros, a franca utilização de trabalho infantil no Congo em minas de cobalto e diamantes são exemplos do quanto a racialização dessas populações influencia na permissividade da exploração irracional de recursos que coloca a vida das populações diretamente afetadas em risco.

Com as devidas modificações, nos processos de diferenciação e autoafirmação necessários para que seja possível sobreviver à pulsão de morte que parece reger todo e qualquer movimento de emancipação de uma sociabilidade em crise, é preciso que negros de pele clara e pele escura, homens e mulheres, ressignifiquem sua existência racializada para além do estupor de aniquilamento proveniente do capital. É preciso reconhecer que a organização da sociedade é feita de forma a se aproveitar das distinções culturais naturais existentes entre os grupos para fundamentar novos arranjos de exploração desses trabalhadores. Nessa esteira, como explica o sociólogo e economista Immanuel Wallerstein, o grau de precarização do mundo do trabalho leva em conta a cor do sujeito explorado, racializando a exploração do trabalho: "A hierarquia dos grupos leva à 'etnização' da força de trabalho no interior das fronteiras de um mesmo Estado dado."[67]

Cada pessoa racializada que reivindica valores, a princípio mundanos e completamente razoáveis, deve enfrentar, no modelo atual, a resistência daqueles que substituem o termo "racial" pelo qualitativo "humano" na tentativa de evacuar o assinalamento de uma injustiça fundada na ideia de racialização desses mesmos grupos. Ainda que negros sejam indubitavelmente humanos, seja no aspecto biológico, seja na dimensão política, tentar resolver a desigualdade por meio da ingênua transmutação linguística de um termo não atinge seu aspecto material, cujas transecções radiculares envolvem todos os aspectos da vida em sociedade. O processo histórico de desumanização de negros, aliás, funda-se no uso da violência contra negras e negros como mote para desassociá-los daquilo que denota sua humanidade: a liberdade, a linguagem, a cultura e a sua história.

A falácia dessa antagonização entre negro e humano é, justamente, a razão de ser da necessidade de afirmação da negritude. O negro definido pelo olhar branco, um olhar distorcido que não tem consciência de que essa torpeza resulta da herança da dominação colonial, que lançou raízes que permanecem até o presente, sucumbe à ontologia forçada lançada por outrem. Por isso, é afirmando-se no que a constitui como negra que a mulher recupera sua apreciação como existência humana. Recuperar a humanidade roubada, portanto, só pode decorrer do reconhecimento de que sua constituição individual e coletiva precisava ser esvaziada. Primeiro, um esvaziamento do olhar colonizador como significante único, para dar lugar, posteriormente, a outras construções que sejam dignas da individualidade e da cultura negra, negando as hierarquizações fundadas nos preceitos racistas entre o branco e o negro, o bom e o mau, o civilizado e o selvagem, o belo e feio.

Assim, o apagamento pressupõe essa violência original, que é negar o direito de existir ao outro que se apresenta em formas distintas e culturas desconhecidas pelo opressor. Arrancar do outro o que lhe distingue como humano, por meio dos mais sórdidos aviltamentos morais, significa para quem oprime extinguir qualquer possibilidade de oposição vindoura. A barbárie funda-se, assim, na aniquilação prévia do desconhecido, cedendo ao instinto mais primário da humanidade: o medo. Uma vez que a oposição pressupõe alguma igualdade entre aquelas e aqueles que se colocam em disputa, aviltar e destruir o que constitui o opositor como um opositor humano revela-se como um mecanismo de antecipação no fito de evitar um possível conflito, e isso é feito por meio da interdição de entrada do opositor no terreno do conflito. Inviabilizar sua entrada como "player", destruindo o que o credencia como igual, na sua diferença, é o pressuposto da evacuação de sua humanidade.

Deturpar, menosprezar e odiar iniciam o processo de apagamento da negritude. Ejetar do campo semântico tudo o que seja um referencial positivo ao mundo negro, apagando-se civilizações negras e suas consequentes conquistas torna-se, assim, possível. Executado nessa ordem, o processo de validação da exploração do corpo torna-se viável. Por isso, falar em extinção do termo "racial" significa queimar uma etapa primordial na luta antirracista. A recuperação da humanidade vilipendiada não se dá somente no espaço da reivindicação. Ela necessita, antes, da reincorporação dos valores constituidores de sua humanidade, das notas distintivas que fazem de um povo aquilo que ele é.

Confundir o processo necessário de reconstituição das narrativas, de restabelecimento da verdade, com um identitarismo assimilado a um processo meramente reivindicador de status não passa de uma simplificação vulgar do que significa opor-se, dentro da história, aos processos de opressão sistemicamente estabelecidos. Mais do que reivindicar o espaço histórico de mulheres negras como Luísa Mahín e Dandara dos Palmares, é possível alcançar essas existências na sua dimensão disruptiva da ordem. O acesso a essas histórias permite o profícuo estabelecimento cultural do laço afetivo, material e cognitivo existente entre o passado, o presente e as possibilidades do futuro. Refazer os elos que unem as opressões coloniais e a barbárie estabelecida pelo capital financeiro moderno não pode prescindir dessa etapa de reconexão com um passado que foi violentamente ressignificado e, por conseguinte, negado.

Essa reapropriação de estratégias de resistência, estéticas e culturas, na medida em que não se limitam ao campo puramente simbólico, viabilizam a reabilitação da resistência que se almeja ser mais que força opositiva. Reapropriar-se dessa radicalidade dos espaços de interdição do direito estatal, como o que ocorreu em centenas de quilombos no Brasil, não se refere a um interesse por condições históricas de outrora, petrificadas no tempo como imanência. O que parece escapar a brancos ou não racializados é que a reapropriação da história dos perdedores, ou seja, dos escravizados e dos colonizados, torna-se parte inconteste do nó nevrálgico da possibilidade de revolução.

Liberar o potencial contestatório, radical, que salta diante do aparente precipício sabendo que o chão que ele empurra nunca esteve sob seus pés não se resume a estabelecer uma identidade com heróis de outrora que são fenotipicamente semelhantes ao oprimido. O elo a ser restabelecido volta-se para o futuro, impregnado da verdade do passado, da verdade material da subjugação do capital, do racismo e do patriarcado. Nessa medida, viver e perceber-se como negra, defendendo essa condição sobre as premissas intransigíveis da dignidade humana, não diminui o cunho revolucionário de um processo emancipatório que, ao visar à totalidade, dirige-se necessariamente ao manancial constituído pelo capital. A ordem desses processos é menos importante, uma vez que profundamente interseccional.[68] As vaidades relacionadas a esmerar-se em identificar aquele que deve ser considerado primevo vêm tão somente para dificultar a liberação do cunho revolucionário da constatação irretocável das opressões. Faz-se mais importante velar que ambos os processos sejam feitos de modo conexo e convergente.

### 3.1 A ESTRATIFICAÇÃO DO COLORISMO NO MUNDO DO TRABALHO

O imaginário brasileiro encerra os arquétipos de mulheres negras em espaços semânticos redutores, que menosprezam suas humanidades por conta da herança escravocrata. Por isso, coube, e ainda cabe, às mulheres negras brasileiras estabelecer uma "onda de choque" capaz de romper com a tríade que estreita seus horizontes de intervenção e existência no mundo. Uma tríade que Lélia Gonzalez identificou nas figuras da mãe preta, da doméstica e da mulata.[69] São campos de redução do imaginário da mulher negra a uma subalternidade particular às métricas do capitalismo de periferia existente no Brasil. Esse aspecto, infelizmente, ainda limita muito a emancipação das mulheres negras, e se reflete na maneira pela qual o mercado de trabalho organiza o espaço a ser concedido a elas.

Lembremos que a maternidade forçada, voltada à dedicação colonial servil da ama de leite à prole do proprietário branco, em detrimento de seus próprios filhos, faz da figura da mãe preta o símbolo da existência madura da mulher negra como um sujeito despido de desejos e absolutamente despojado de vida própria. Sua existência é um acessório reificado do período infantil da prole branca. A doméstica é uma segunda existência decorrente da abolição da escravidão. Ao privar as famílias brancas da dominação absoluta do corpo da "mãe preta", cria-se a ideia de que o trabalho de limpeza e cozinha, embora laborioso e essencial, pode ser sub-remunerado quando exercido por mulheres negras. Seu exercício perfaz-se na única possibilidade de reintegrar a ex-escrava, ou suas correlatas, à vida familiar do senhor de engenho e, ulteriormente, dos seus descendentes.

Por fim, no campo das sexualidades e da cultura, à mulher chamada de mulata são dispensados os tratamentos mais ambivalentes, mas não menos violentos.[70] Por mais que a ela atribua-se um espectro mais alargado de existência, que vai da prostituição ao trabalho precarizado, passando pelo da artista ao da parceira não assumida publicamente, é ela quem sofre a hipersexualização de seu corpo e de seus gestos. Gonzalez explica com sua habitual maestria:

> Como todo mito, o da democracia racial oculta algo para além daquilo que mostra. Numa primeira aproximação, constatamos que exerce sua violência simbólica de maneira especial sobre a mulher negra. Pois o outro lado do endeusamento carnavalesco ocorre no cotidiano dessa mulher, no momento em que ela se transfigura na empregada doméstica. É por aí que a culpabilidade engendrada pelo seu endeusamento se exerce com fortes cargas de agressividade. É por aí, também, que se constata que os termos mulata e doméstica são atribuições de um mesmo sujeito. A nomeação vai depender da situação em que somos vistas. (GONZALEZ, 1984, p. 228)

Além disso, no que tange aos homens, a hipérbole sobre sua sexualidade atinge também um nível de violência extremo. Do mesmo modo que o controle da sexualidade da mulher negra vem pelo estupro, o recalque branco diante do homem negro sobrevém pela castração, haja vista que esse é um dos castigos mais comuns dado a quem insistia em ser "insolente". Fanon, aliás, enfatiza o aspecto sexual das representações de brancos sobre negros ao comparar o antissemitismo e o racismo contra o negro. Se em relação ao judeu o preconceito se concentra no "dinheiro e nos seus derivados",[71] o sexo e o genital são empregados pelo racismo como elementos de animalização do negro, reduzido ao aspecto sexual, ao campo dos instintos e do biológico: "(...) com o preto, inicia-se o ciclo do *biológico* nas fobias do europeu."[72]

O uso do sexo como arma contra negros constitui, infalivelmente, uma faca de dois gumes, pois aterrorizou mulheres negras reduzidas à escravidão, assim como barbarizou o corpo de homens negros com os linchamentos, sob a égide do pressuposto de uma pulsão sexual incontrolável que os levava a cometer estupros. Angela Davis afirma, nesse aspecto, que "o estupro de uso racista e as acusações de estupro são historicamente inseparáveis (...), milhares de linchagens terroristas foram justificadas invocando o mito do estuprador negro".[73]

No campo das vulnerabilidades relacionadas ao gradiente da cor quando empregadas pelo Estado, Carla Akotirene, em entrevista à coleção Feminismos Plurais,[74] destaca a necessidade premente de distinguir a natureza e os tipos de suscetibilidades criadas pelo colorismo. Essa distinção, segundo a autora, não tem um caráter meramente classificatório, mas reverbera estatisticamente nos órgãos estatais que definem as políticas públicas que serão mais ou menos eficientes de acordo com o acesso verossímil ao modo como o racismo atravessa as distintas negritudes existentes no Brasil. Tratar negros e negras, claras e escuras, como um bloco homogêneo, ignorando as especificidades da ação do colorismo sobre as existências pode culminar em dotações orçamentárias equivocadas no que tange ao foco de certas campanhas de sensibilização, em formações equivocadas para o preparo de funcionários e, certamente, na compreensão parcial de como tratar problemas nos quais o Estado deve se investir.

(...) É extremamente importante quando nós, população negra, sobretudo, estamos olhando para o Estado, legitimando como um ente que vai regular as desigualdades por critério racial. Então, nesse sentido, é importante a gente perceber que quanto mais escura, quanto mais pigmentada a cor da pele de alguém, mais distante essa pessoa estará das oportunidades, da dignidade enquanto pessoa humana e da condição que reverta a pobreza, que reverta a violência, que reverta a exclusão, ainda, de gênero. Eu, que atuo na saúde pública, tenho como obrigação, desde 2017, coletar o quesito raça-cor. Porque eu acabo fornecendo às governanças do município essa diferenciação que acontece dentro da identidade negra quando a gente contrasta os pretos e os pardos. Então, eu percebo que, quando atendo usuários que foram vítimas de PAF, ou seja, arma de fogo, eu percebo que em sua maioria são jovens pretos. Por outro lado, quando atendo mulheres vítimas de violência doméstica, percebo que a maioria é parda. Qual a importância disso? Se eu não criar essa identificação, eu acabo tendo a sensação de que na população negra as dificuldades de ter acesso a bens e serviços, o tratamento que é dado institucionalmente, têm uma cobertura homogênea, independentemente da cor, e isso não é verdade. Eu tenho percebido que muitas de nós que atuamos nas militâncias antirracistas temos dificuldade com a categoria pardo. E eu sei que essa dificuldade tem pertinência. No entanto, sem a categoria pardo dificilmente a gente consegue perceber que a população preta está mais vulnerável à evasão escolar e, portanto, a uma condição de subalternidade que empurra para o tráfico de drogas, que empurra para a violência letal, muito mais que a população parda, por exemplo. (AKOTIRENE, 2020, entrevista para a coleção Feminismos Plurais)

Contudo, ainda segundo a autora, não é possível passar ao largo do fato de que nossas compreensões socialmente construídas do que é belo, agradável e, ainda, tolerável, são mais facilmente concedidas àquelas e àqueles que têm a pele menos pigmentada. Dessas associações depreendem-se mais oportunidades de trabalho e mais reconhecimento, a exemplo do que ocorre com mulheres negras de pele clara. Não se trata de recusar ao negro claro sua condição enquanto negro, tampouco de lhe forçar a deitar em uma cama de Procusto, mas tão somente de não simplificar o raio de extensão do racismo sobre cada fator associado à negritude — fatores que são tão numerosos no Brasil quanto em África. Ainda segundo Carla Akotirene:

> Essa população parda tem mais chance, vamos dizer assim, de dar continuidade à precariedade de raça, mas mantendo as condições que permanecem a vida. Isso é diferente da população preta. Então, primeiro, é importante que a gente colete o quesito raça-cor, e é importante que a gente tenha discernimento na hora de percebermos as diferenciações a partir do tom da pele, porque se eu, que sou uma mulher retinta e ganho 4 mil reais, me declaro preta, estou fazendo o Estado brasileiro entender que a igualdade racial tende a criar dificuldade para as pessoas pretas se emanciparem para cargos de chefia. Mas se a minha colega de trabalho, que é uma pessoa parda, ganha 12 mil reais por ser coordenadora, mas tem dificuldade com a categoria pardo e quando o recenseador pergunta qual é a cor dela, ela se declara preta, ela está fazendo o Estado acreditar que desde 2017, quando passou a obrigatoriedade da coleta do quesito raça-cor em todos os formulários públicos, da saúde, sobretudo, a população preta tem crescido em termos de oportunidade. E isso não é verdade. Então, para mim, a grande contribuição do debate colorista é a gente perceber a cor como uma

> marcação de diferenciação, uma posicionalidade que cria lugares distintos para as pessoas pretas e para as pessoas não pretas. Mas insisto que aqui no Brasil a gente tem se filiado à forma estadunidense de enxergar, como vai dizer Oracy Nogueira: negros e não negros. (AKOTIRENE, 2020, entrevista para a coleção Feminismos Plurais)

Curiosamente, mas sem surpresa, em todos os arquétipos de mulher negra, a subalternidade é a regra, seja aquela relativa à sua capacidade laboral ou à sua sexualidade. Contudo, o que baliza a maleabilidade desses papéis convencionados à mulher negra, mais uma vez, é o colorismo. Segundo Gonzalez, não é possível afirmar que uma mulher negra escura está mais submetida a sua associação como mãe preta ou doméstica do que a negra clara, nominada injuriosamente como mulata no passado por lhe ser atribuído algum traço ou marca que remetia à europeinidade. Aliás, Gonzalez refuta a ideia de que a "categoria" racista de mulata seja algo adstrito às negras claras. Para ela, o colonizador português inventou a categoria "mulata" como mera sobreposição de mulheres "não brancas" àquelas que, sendo brancas, vinculam-se ao patriarcado para as funções de reprodução e representação social, mas não necessariamente de sexo ou violência. "Mulata é crioula, ou seja, negra nascida no Brasil, não importando as construções baseadas nos diferentes tons de pele. Isso aí tem mais a ver com as explicações do saber constituído do que com o conhecimento."[75]

O exemplo da tríade de Gonzalez, portanto, é um exemplo forte do quanto o colorismo calibra a estereotipização da mulher negra em arquétipos nem sempre bem definidos. Ainda que em todos eles o racismo e o capitalismo ajam, cada um a sua maneira, justificando a sub-remuneração ou a superexploração, há uma necessidade posterior de validar-se as distinções entre trabalho manual e trabalho intelectual por meio de uma atribuição de valores ainda mais sofisticada que a simples oposição entre branco e negro.

Em termos quantitativos, o racismo no mercado de trabalho brasileiro tem um impacto anual de setecentos e setenta bilhões na economia.[76] A diferença salarial média entre homens brancos e homens negros é evidente quando se constata que o salário médio de um homem branco é de R$ 3.579, enquanto o de homens negros é R$ 1.970. Os homens não negros com ensino superior têm um salário médio de R$ 7.033, enquanto homens negros com ensino superior recebem, em média, R$ 4.834. As mulheres não negras com ensino superior recebem, em média, R$ 4.760, ao passo que as mulheres negras com o mesmo nível de escolaridade têm média salarial de R$ 3.212. A ocupação de cargos no Poder Executivo, por sua vez, indica a fraca permeabilidade dessa instância aos não brancos pardos, portanto claros, sendo ainda mais difícil para pretos de pele mais escura.

> Segundo o IBGE, no primeiro trimestre de 2019, 63,9% dos desocupados no Brasil eram pretos ou pardos. Os brancos representavam 35,2% dessa distribuição, enquanto as pessoas de cor preta respondiam por 12,7%. As taxas de desocupação observadas entre as pessoas de cor preta ou parda vêm apresentando as estimativas mais elevadas ao longo de todo o período de coleta da PNAD contínua. A taxa de desocupação das mulheres foi 36,7% maior que a dos homens, porém, essa diferença já foi de 64,5% no primeiro trimestre de 2012. A menor diferença foi registrada no quarto trimestre de 2017 (27,6%).[77]

A interseccionalidade das opressões fica clara ao apontar que a mulher negra continua sendo aquela que mais sofre as consequências dos estigmas raciais. Ainda pior, se observamos com rigor quais são os cargos ocupados pelas mulheres negras na base dessa sociedade inegavelmente piramidal haverá ainda outros recortes a serem feitos decorrentes do colorismo e, portanto, da repartição dos trabalhos mais precarizados para aquelas que são consideradas mais escuras. Finalmente, as taxas de desocupação, portanto, de desemprego, também testemunham que ser negra dificulta o acesso mesmo àquilo que chamamos ainda de trabalho informal, ou seja, trabalho precarizado.

O trabalhador ou trabalhadora de pele negra permanece duplamente suscetível: de um lado vê-se submetido pela engenharia da subalternidade racial, e do outro é a primeira vítima da superfluidade da produção do valor, que gera a crise atual da própria existência do trabalho. Esse conjunto de fatores, valores e práticas constituídas se servem assim do colorismo para assegurar um refinamento dessa estratificação da mão de obra. A plasticidade do capital em adequar-se a novas tecnologias e novos fenômenos sociais decorre justamente dessa capacidade fina de produzir novos discursos e ideologias que validem, no campo simbólico, cultural e afetivo, aquilo que é preciso adequar-se nas fábricas e no consumo. O emprego de mecanismos de associação de valor de uso e de valor de troca que se coadunem com escassez ou abundância de certos recursos naturais e matérias-primas, ou mesmo aos modos de produção em voga, como aqueles experimentados no fordismo, no taylorismo e no toyotismo, também são bons exemplos dessas adequações.

É importante lembrar que, diante do quadro de escassez de mão de obra durante a Segunda Guerra Mundial, a entrada de mulheres na indústria conheceu seu ápice. Por força da luta das mulheres no reconhecimento de seus direitos civis e da necessidade de atribuir voz autônoma às consumidoras de produtos, a elas foi conferido o direito de votar e serem votadas. Portanto, na dimensão do colorismo, aquilo que a ideologia racial reproduz perpassa a dimensão de estratificação da divisão última do trabalho, o que é inerente ao colorismo, para que nem todos os pretos sejam considerados negros e negras perfeitamente iguais em termos de exercício de direitos e de representação imagética na sociedade. Vê-se uma aplicação criativa da máxima "dividir para conquistar".

Essa necessidade de diferenciação equivale, guardadas as devidas proporções, ao procedimento de diferenciação do trabalho experimentado no decorrer da história do capitalismo. Essa diferenciação entre brancos e não brancos, levada ao seu limite nas experiências nazistas e de apartheid sul-africano e estadunidense, pode encontrar um terreno movediço no qual a simples oposição entre esses dois grupos não é mais suficiente para responder aos avanços da realidade material do capital, cada vez mais imaterial.

Nesse aspecto, a ultradiferenciação açambarcou também comunidades negras, notadamente quando os estupros sistemáticos de mulheres negras e indígenas levaram a uma mestiçagem que se opõe à branquitude, mas que também pode ser associada a ela em alguma medida. É exatamente a métrica dessa medida

— complexa, histórica e profundamente interseccional — que faz o fenômeno do colorismo ganhar força e importância no debate racial moderno. Enquanto o capitalismo leva a própria ideia de trabalho ao seu esgotamento, o colorismo veicula uma ordem de fatores de identificação e de associação de qualidades que atendem a essa fluidez de identidades. Sem fazer com que a ideia de superioridade racial se perca na medida em que dá voz ao racismo, mantendo suas hierarquias identitárias, o colorismo permite que o discurso racista se sofistique diante da existência cada vez mais frequente de pessoas portadoras, em alguma medida, dos signos raciais considerados regra e exceção, normal e exótico, civilizado e selvagem, bom e ruim etc.

Sendo assim, o colorismo não é a bala de prata do racismo. Ainda que implicado nos séculos de violação de mulheres não brancas que, ao darem à luz sujeitos mais claros ou com traços que deixam dúvida quanto à sua origem, o colorismo não resolve o racismo embaralhando suas características. O amálgama de certos elementos raciais que é visível em certos grupos é atribuível também, depois de séculos de colonização e trabalho escravo, à condição socioeconômica do indivíduo, sua religiosidade ou mesmo sua capacidade cognitiva, cujas correspondências levam também à sua identificação racial como negro, ainda que o indivíduo tenha uma cor considerada clara. Pensar que a mestiçagem dá cabo ao racismo por meio da sobreposição de traços e origens é desconsiderar que o colorismo não se resume a traços e marcadores raciais.

O fato de o colorismo desenvolver-se par a par com o racismo faz dele uma tecnologia social interseccional que também interioriza vetores socioeconômicos, culturais e históricos nas suas classificações e atribuições de valor. Portanto, cada sociedade afigura-se como um experimento secular desses jogos de associação, reproduzidos no campo público e privado, cuja transmissão se faz de modo familiar, mas também de modo estatal por meio de políticas públicas de ensino, saúde, transporte, sendo estes os lugares de proa desses processos de reprodução. Identificar cada traço e marcador de africanidade e branquitude durante séculos de observação, exploração e reprodução torna-se algo perfeitamente natural e transmissível, que se apreende como ocorre com todo e qualquer mecanismo cultural. Aprender a transitar na sociedade brasileira é também aprender que cada cor e atributo que faz parte dos matizes raciais revela um espaço de interditos e de pertencimentos.

## 3.2 COLORISMO E PODER

No Brasil, os cremes clareadores não são tão populares como nos mercados africanos porque o colorismo brasileiro foi mais eficiente e violento. A religião católica fez parte desse processo violento ao demonizar as expressões culturais e religiosas de matriz africana, impondo santos e, claro, um messias embranquecido. Reagindo a essa violência, a umbanda, por exemplo, incorporou certas narrativas do panteão católico para sobreviver à marginalização e, ulteriormente, ao cárcere, em razão das leis que criminalizavam terreiros, mães de santo e pais de santo.

Essas engenhosidades criadas a fim de permitir a sobrevivência das práticas e de seus praticantes reinventaram seus símbolos sem desnaturar o seu caráter cultural. Elas tornaram-se parte de uma estratégia secularmente empregada e transmitida, e parecem ultrapassar o campo religioso. Essa plasticidade do culto é também encontrada na plasticidade da aparência, que aprendeu a disfarçar ou tornar menos evidente características que servem como alvo na sociedade racista: a africanidade. Muito embora a rejeição da africanidade em muitos casos surja como resultado do trauma, e às vezes torne-se doença de ordem psicanalítica, ela também pode carregar outros significados.

Por mais acolhedores e amorosos que os lares possam ser, nada pode preparar uma criança para enfrentar o racismo do mundo. A violência de perceber-se inferior, diferente, rejeitada, contudo, pode provocar menos danos quando a família é capaz de criar um ambiente no qual falar de racismo não é algo interditado sob o falso antídoto do "nós não enxergamos cores" — o *color blindness*. A família, as escolas e as universidades têm a responsabilidade de promover uma conversa segura, especialmente para negros, a fim de nomear o "elefante na sala" que é o colorismo e o racismo. Nesse caminho, bell hooks aborda esse tema de suma importância em *Salvation: Black People and Love* [Salvação: povo negro e amor], ressaltando a importância de tornar as crianças sujeitos "letrados" sobre os códigos racistas que, quer queiramos ou não, serão impostos a eles:

> Nossas mães, ao contrário de suas homólogas brancas, têm que tentar construir um lar em meio a um mundo racista que já selou nosso destino, um mundo desigual esperando para nos dizer que éramos inferiores, não inteligentes o suficiente, indignos de amor. Diante desse cenário em que a negritude não era amada, nossas mães tiveram a tarefa de construir um lar. Como anjos em casa, elas tiveram que criar um mundo doméstico onde a resistência ao racismo fazia parte da vida cotidiana tanto quanto fazer camas e cozinhar refeições. Não foi uma tarefa fácil, uma vez que o racismo internalizado significava que trazíamos os valores da supremacia branca para nossas casas por meio do sistema de castas de cores. Todos sabiam que quanto mais clara você era, mais sorte você tinha. E todos nos julgavam com base na cor da nossa pele. Em algumas casas, como aquela

em que cresci, mães e pais que sofreram por serem muito escuros rejeitaram os valores do sistema de castas de cores. Nossa mãe de pele clara, que fora criada por uma mãe que poderia se passar por branca, estava decidida de que seus filhos não julgariam uns aos outros de acordo com o tom da cor da pele. Quando éramos pequenos, ela nos ensinou a ver a beleza de nossa diversidade. Seus sete filhos tinham cores diferentes de pele e várias texturas de cabelo, e cada um tinha seu estilo e beleza de modo único. Mas toda a sabedoria da Mamãe não conseguiu nos proteger do mundo fora de casa, que constantemente nos lembrava que preto não era a cor certa, que quanto mais escuro você fosse, mais você sofreria. (HOOKS, 2001, p. 35-36)

O escamoteamento de certas características fenotípicas para negros de pele clara ou escura às vezes só reflete uma estratégia temporária de sobrevivência, uma tentativa de passar despercebido sob o radar racista de instituições ou de espaços públicos e privados. É preciso distinguir, no entanto, os efeitos dessas alterações para brancos e negros. As alterações na aparência não sujeitam brancos e negros do mesmo modo. Uma mulher branca de turbante africano, um signo importante da comunidade negra, não oferece risco a nenhuma regra social estabelecida, e não corre risco de apedrejamento ou intimidação.

Neste caso, falamos de associação positiva à cultura africana pelas razões certas — compreensão do significado do turbante, ou vivência da cultura africana, mas também pode ser pelas razões erradas, quando o apego relaciona-se a uma ideia de "exotismo" que inferioriza e reifica a africanidade como algo que possa ser adquirido ou possuído.

A umbanda não é menos africano-centrada por incorporar certas imagens que podem remeter ao catolicismo, assim como a negra que alisa seu cabelo não é menos preta ao utilizar um signo branco para se manter no emprego. Essa maleabilidade, típica de sociedades que levam a violência com certos grupos à sua quintessência ao retirar dos sujeitos sua condição humana, faz dos negros oriundos da mestiçagem um alvo perfeito para um escorraçamento duplo: não são suficientemente escuros para os racial-puristas, tampouco absolutamente brancos para os racistas-eugenistas. Do mesmo modo, adotar uma religião pentecostal não retira necessariamente da negra praticante sua postura antirracista, tampouco o compromisso político com a emancipação de seu povo. É preciso sempre ressaltar que o *modus operandi* racista faz uso das práticas de homogeneização de grupos "minoritários". Combater o colorismo e, portanto, também o racismo, é permitir que negras e negros possam expressar sua negritude em seus corpos, mas também na sua postura política.

Ostentar tranças ou dreads ao mesmo tempo em que denunciam o genocídio de crianças negras nas periferias, ou tratar quimicamente o cabelo liso sem deixar de cultuar seus orixás e lutar pela liberdade religiosa. A negritude é diversa, e a luta antirracista só tem a ganhar com isso. Como bem assinala Angela Davis ao falar da academia e dos espaços de reprodução do saber, é preciso focar naquilo que pretendemos transformar e, para isso, precisamos de todos.

> Não podemos mais ignorar as maneiras como às vezes acabamos reproduzindo as próprias formas de dominação que gostamos de atribuir a algo ou outra pessoa. "Ela não é negra. Ela nem parece negra". Ou então: "Ela é muito negra. Ouça como ela fala. Ela parece mais uma pregadora do que uma erudita." Ou: "O trabalho dela não é realmente sobre mulheres negras. Ela está interessada apenas em lésbicas." Ou, de forma mais geral: "Ela não é uma estudiosa de verdade." Antes, qualquer trabalho feito por um negro sobre questões negras não era reconhecido como "bolsa de estudos real". Considere quanto tempo levou para obrigar a academia a reconhecer o trabalho de W. E. B. Du Bois — ou Zora Neale Hurston. O último ponto que mencionei tinha a ver com nossas posições como mulheres negras. E não somos as únicas mulheres racializadas, devo dizer. Quando pensamos em nós mesmas como mulheres racializadas,

isso significa que somos compelidas a pensar sobre uma série de questões e contradições e diferenças. O trabalho de Audre Lorde continua a nos desafiar a pensar sobre a diferença e a contradição não como momentos a serem evitados ou escapados — não como momentos que devemos temer —, mas sim como generativos e criativos. (DAVIS, 2004, p. 95)

A tragédia do colorismo é que ele foi capaz de falsear a própria natureza da mestiçagem. É como se a violência do estupro "original", da primeira criança mestiça concebida forçosamente, precisasse ser repetida atavicamente, negando aos seus filhos toda e qualquer condição de existência no mundo. Contudo, para cada mulher que fez um aborto para salvar um filho da condição de escravo sob o suplício da escravidão, interrompendo a violência do estupro, uma outra pariu, amou e transmitiu seus saberes ancestrais a uma criança, por mais que sua pele fosse mais clara. Para cada avô que festejou o nascimento de um neto negro mais claro que os demais, muitos outros avôs cuidaram para que a neta pudesse se desenvolver sem valores racistas, e que bisnetos negros escuros adviessem de outras construções afetivas nas gerações vindouras. E, o mais importante, para cada criança que cresceu em uma família que ridicularizou ou escondeu sua negritude, houve muitas outras que puderam encontrar afago nos terreiros, acolhimento e saber nos movimentos sociais e em seus intelectuais, ou que mesmo sozinhas puderam ladrilhar as trilhas da pedagogia do oprimido na busca autônoma por sentido e humanização da sua condição negra mestiça.

A maior revanche do negro contra o colorismo é viver e deixar viver a negritude. É reconhecer nos traços fortes e resistentes dos nossos corpos que surgem, geração após geração, aquilo que nos une na luta. Se a tragédia do colorismo separa os seus pela diferença, lembremos que a distinção entre o veneno e a cura é a dose. Distintamente negros, mas iguais quando se trata de engajamento na luta antirracista. Portanto, as vantagens adquiridas pela mestiçagem só fazem sentido se reorientadas em uma concepção crítica, emancipatória e livre da nossa existência racial, orientada para a mudança. Afinal, de nada vale sentar-se à mesa cujo prato principal é o poder se este continua a servir o jugo imposto a quem será reservado somente o resto.

# AS RESSIGNIFICAÇÕES POSSÍVEIS DO COLORISMO

O colorismo não se restringe somente ao aspecto físico, à geometria de traços; ele reflete o que há de mais pernicioso no racismo: a introdução de uma hierarquia racial que corresponde a um projeto político. É vergonhoso defender que a união de negros em torno da emancipação sociorracial impõe que sejamos todos iguais. Aliás, achar que todo negro é igual é tão racista quanto achar que todos os amarelos são iguais. É como homogeneizar indígenas brasileiros, ou mesmo pessoas de nacionalidades de origem chinesa, japonesa ou coreana.

A diversidade existente no continente africano foi de algum modo reproduzida na América Latina, contudo, com notas bastante particulares advindas da mestiçagem indígena e europeia. A contribuição indígena ao nosso povo, incluindo aos negros de pele clara deve, aliás, ser celebrada. Se o colorismo sujeita negros a esconder seus traços, não há nada mais revolucionário do que valorizar e usar esses mesmos traços para desconstruir a imagem falseada na qual se espelham aqueles que organizam o poder.

Não somos menos negros, somos amefricanos,[78] como ensinou Lélia Gonzalez, e disso advém nossa profunda sede por transformar o mundo, começando pela desconstrução da colonialidade e do racismo. De um lado somos fruto do genocídio indígena, com sangue nas mãos e nas veias, e, do outro, do horror da escravidão.

Habilmente, Gonzalez percebe que a visão evolucionista de buscar o elemento africano obsessivamente nas Américas parece esquecer que as Áfricas continuam vivas, diversas e em permanente transformação onde sempre estiveram. O que acontece no Brasil é único, e não seria possível, ainda que se quisesse, reproduzir a inteireza das expressões culturais africanas.

O reducionismo empregado pelo colonizador em aglomerar em um só termo — o negro — uma definição dos representantes de mais de dez povos africanos[79] que sobreviveram à tragédia que constituiu por si só os meses de transporte no navio negreiro inaugurou a desumanização das identidades negras. Apagar aquilo que os faz humanos, reduzindo suas identidades à condição escrava, é o segundo passo, como se a condição negra supusesse a condição de não humanidade, de onde se depreenderia a naturalização do seu aprisionamento, venda e exploração última. Daí vem um tipo de "sufixação" do termo escravo que emprega-se tão comumente: o "escravo africano", o "escravo negro", quando deveríamos estar dizendo, no entanto, o "africano sob a condição da escravagem" ou "o negro sequestrado e submetido à escravidão". A escravização não é condição ou exclusividade do povo negro, de modo que utilizar esses termos sozinhos ao se referir a pessoas escravizadas é uma maneira de essencializar a escravidão como algo inerente ao povo negro. A linguagem diz tudo sobre o modo como pensamos a condição negra.

O fato de africanos de origens tão diversas terem sido forçados a viver em um território longínquo, sujeitando-se à dominação branca e tecendo composições com os indígenas, faz dessas relações sociais algo totalmente único. A diversidade das acepções de negritude compostas nessas redes de submissão, apoios e revoltas não pode ser colocada em xeque porque não corresponderia a uma ideia de "África mítica a-histórica"[80] que nem poderia, a princípio, ser tomada como algo tão unívoco e de sentido excessivamente estrito. Até porque, há de se convir, os fenótipos, as línguas e as culturas diferentes presentes em África não permitiriam que essa essencialização da negritude fosse feita sob a justificativa de um "noirismo" de sentido completamente inverso àquele proposto pela categoria da negritude.

Sem ser o espelho exato da África, mas dela se originando, a experiência brasileira cria outra forma de lidar com a violência do sequestro, da molestação, da infâmia das privações e dos castigos, para dar nascimento a uma cultura de resistência, reinvenção, repleta de contradições, mas que avança em direção a uma sociabilidade distinta que se pretende uma nação apesar do apartheid tácito vivido pela maioria da sociedade. O tráfico negreiro trouxe mudanças para a África assim como os quase cinco milhões de africanos trouxeram mudanças para as Américas. Mesmo tendo sido submetidos à condição da escravidão, eles foram capazes de alterar a língua do colonizador, ao mesmo tempo que se nutriram da língua dos indígenas, fazendo do português brasileiro algo autêntico e único no mundo. É possível dizer que a mestiçagem no Brasil pode caracterizar aquele processo que Gonzalez conceitua como uma "explosão criadora de algo desconhecido",[81] apesar do processo contraditório, violento e injusto. De fato, a mestiçagem, em menor ou maior grau na origem de uma boa parcela da população brasileira, cria uma categoria racial que, amefricana, não pode perder a "consciência da nossa dívida e dos profundos laços que temos com África".[82]

Sueli Carneiro, grande intelectual brasileira de nossa época, recupera uma noção de identificação racial muito comum no Brasil: aquela feita pela polícia. Contudo, não se fala aqui da identificação formal e burocrática de se perguntar à vítima ou ao acusado qual é a sua raça durante a redação de um boletim de ocorrência. Trata-se de uma identificação quase espontânea, gerada pelas milhares de imagens registradas mentalmente ao longo de nossa vida sobre os lugares ocupados por brancos e negros. Imagine quantas vezes seu cérebro registrou a imagem de um menino no centro da cidade pedindo dinheiro no semáforo; lembre-se de todas as imagens dos "arrastões do Rio de Janeiro", dando a entender que os assaltantes são exclusivamente negros; imagine as milhares de horas passadas em frente à TV assistindo ao mocinho branco e ao bandido negro, em português, inglês... em tantas outras línguas; imagine quantas vezes observamos trabalhos precarizados sendo executados por negras e cargos de liderança ocupados por brancas — tudo isso constitui também um capital sociorracial que permite a cada brasileiro identificar imediatamente se alguém é ou não lido como negro na sociedade. Por isso, a polícia se utiliza dessa experiência melhor do que ninguém para colocar um alvo na testa da juventude negra, para a qual as regras e as leis são curvadas em prol da "celeridade da investigação", cujo fim pode ser uma execução, reitera-se, em absoluta ilegalidade. O policial, ao abordar uma negra ou um negro na rua, "nunca se engana, sejam eles mais claros ou escuros".[83]

Entretanto, o que é mais importante no texto de Carneiro é indicar quão estéril é a tentativa de retirar de negros claros a possibilidade de viver sua negritude. Primeiro, porque ela nos pertence, e uma vez vivenciada, na carne, e sob golpes muitas vezes violentos, é muito difícil sucumbir a qualquer tentativa de embranquecimento, seja ela vinda da direção que for. Segundo, porque a luta antirracista só pode ganhar com a vivência inteiriça de uma identidade racial que pode, em alguns casos, ter sido vacilante no seu aspecto político. Portanto, para muito além de uma simples declaração, ser negro também significa entrar em contato com a sua amefricanidade. Ser negro é vivenciar sua negritude como resistência à opressão independentemente do seu pertencimento ideológico, mas também significa solidariedade social marcada pelo valor da partilha de recursos, sem se esquecer da auto-organização política e, certamente, da celebração alegre da ancestralidade.

Portanto, os engenhos do colorismo não colocam a salvo os meninos da periferia perseguidos, torturados pela polícia, quando estes não terminam mortos em execuções ilegais e profundamente imorais. A polícia militarizada do Brasil não poderia ser uma instituição ao abrigo do racismo; ao contrário, ela é um dos vetores mais mortais da sua reprodução nas ruas. O racismo presente nos quartéis, em formações que colocam o perfil negro como alvo preferencial, em investigações sobre faltas deontológicas que não culminam em penas, constitui, especialmente, um exemplo clarividente de como um problema estrutural não pode ser coibido parcialmente. A inegável conivência dos governos na perpetuação desse estado de coisas, aliás, indica que o Estado brasileiro ainda preserva, na sua estrutura, uma concepção de aparelho de guerra contra seus próprios cidadãos, um exército instrumentalizado para guardar a ordem racial por meio da força marcial de exceção diária. São tragédias humanas que resultam em famílias destruídas diuturnamente, cujas vidas ceifadas são alvo de grandes mobilizações sociais reivindicantes de justiça, que com a mesma frequência são renovadas por novos casos e, então, novamente esquecidas pela sociedade civil.

A catástrofe do racismo brasileiro é que a empreitada colonial de embranquecimento da população funciona, sem dar certo. Ela funciona no sentido de que o colorismo espraia-se, tornando-se uma categoria suficientemente difusa com força o bastante para fazer com que mais de 56% da população repute-se fora do padrão de normalidade, de conformidade — e de beleza — do seu próprio país. Em contrapartida, o colorismo fracassa porque a mestiçagem não foi capaz de suavizar a africanidade ao ponto de apagá-la, o que permitiu que negros claros e escuros ainda possam se autoidentificar como pertencentes ao mesmo grupo racial. Ademais, para isso, negros claros sempre puderam contar com a ajuda estoica e resoluta dos "ladinoamefricanos", lidos como brancos e obcecados em colocar-se em posições superiores àqueles que carregam a africanidade em seus corpos e corações. Gonzalez faz referência à condição ladinoamefricana no sentido de desnudar o quanto a ideia de pureza racial branca e de refutamento do componente negro, especialmente no Brasil, é uma ideia insustentável em termos político, histórico e geográfico.

> A Améfrica Ladina (não é por acaso que a neurose cultural brasileira tem no racismo o seu sintoma por excelência). Nesse contexto, todos os brasileiros (e não apenas os "pretos" e os "pardos" do IBGE) são ladinoamefricanos. Para um bom entendimento das artimanhas do racismo acima caracterizado, vale a pena recordar a categoria freudiana de degeneração (*verneinung*): "processo pelo qual indivíduos, embora formulando um de seus desejos, pensamentos ou sentimentos, até aí recalcado, continua a defender-se dele, negando que lhe pertença." (GONZALEZ, 2018, p. 321-322)

Além dos fortes traços culturais que unem negros independentemente de sua diversidade, o recalque histórico do racismo "à brasileira" criou um efeito rebote altamente interessante: quanto mais violentamente ele tenta defender sua posição hierarquicamente superior, maior é a adesão de negros de pele clara ao projeto de emancipação negra. Quanto mais a negritude é explorada, recortada e cindida para servir de contraponto a uma ideia anacrônica de branquitude e pureza, mais uma reorganização desses grupos superexplorados encontra mecanismos para dissuadir os efeitos nocivos da engenharia eugenista racial. O colorismo torna-se a serpente que morde o próprio rabo. Talvez o arquétipo do orixá Oxumarê explique como os movimentos de transformações permanentes podem ressignificar aquilo que, concebido para oprimir, pode vir a se tornar um novo ciclo de algo completamente oposto. Não coincidentemente, essa divindade africana carrega, em si, as cores do arco-íris.

Esse rechaçamento obsessivo das culturas negra e indígena, dos estupros sistemáticos e da malfadada ideia eugenista de se "limpar o sangue"[84] por meio de casamentos inter-raciais, a fim de amenizar os traços amefricanos, culmina em uma sociedade racialmente cindida, atravessada por uma rede sofisticada de associações vinculadas a ideias distorcidas do que é ser africano, indígena ou europeu. Desprovido de tudo, o povo negro brasileiro vem galgando espaços cada vez mais importantes, e nisso o movimento feminista negro tem uma grande parcela de contribuição.[85]

Contudo, não há de se duvidar por um só momento que enquanto precisarmos morrer as mortes mais violentas, sozinhas no interior de nossas casas ou nas ruas,[86] nenhuma dessas vitórias pontuais poderá fazer algum sentido no futuro. Não obstante a dificuldade de se obter a empatia e a solidariedade necessárias da sociedade, que continua a se julgar não responsável por essas mortes, mesmo mantendo negros e negras apartadas dos centros decisórios que poderiam oferecer soluções sistêmicas para os problemas estruturais que nos afetam diretamente, a comunidade negra continua produzindo seus saberes e se auto-organizando. Contudo, sem a integração da população negra nas esferas de poder, não há acordo possível. Nunca se tratou de mera representatividade: trata-se de conhecimento de causa. Supor que quem sangra não sabe avaliar a ferida não faz sentido quando quem estanca o ferimento é quem rasga a carne. Como tão bem diz nosso iluminado poeta-músico Emicida na letra de "Principia": "Tudo, tudo, tudo que nóiz tem é nóiz".

## 4.1 UMA LEITURA FEMINISTA DO COLORISMO

A subalternidade é o lugar comum para o qual a sociedade empurra a mulher negra diante de qualquer oportunidade de poder, ou da mais singela divergência. Se nas relações econômicas o fosso entre brancos e negros é material, praticamente uma muralha, como nos tempos medievais, com seus guardas armados e pontes de acesso rodeadas de um canal repleto de armadilhas e animais grotescos, no discurso científico e no discurso político a situação não é diferente. A mulher branca pesquisadora precisa vencer todas as barreiras do patriarcado para obter reconhecimento. A mulher negra, além do patriarcado, precisa convencer também as mulheres não racializadas de que sua objetividade não é menos vacilante do que a das últimas.[87] A mulher preta precisa sair de um lugar ainda mais invisibilizado que as negras claras para se autoafirmar como produtora de conhecimento, digna de respeito, acolhimento e afeto.

Por isso, vivenciar o racismo no Brasil perpassado pelo colorismo nos coloca, como negros, em uma posição de "competitividade" pelo pouco espaço que nos é oferecido. Não é coincidência, é um projeto de poder razoavelmente frutífero. Quando os grupos de trabalho na universidade, as promoções de cargo nas empresas, os comitês de trabalho ou de pesquisa nos espaços públicos e, evidentemente, os canais de alta visibilidade das redes sociais da internet ignoram o fato de que negros claros e escuros não estão presentes nesses espaços de valorização, o não dito é deveras eloquente. Essas "ausências" portam duas invisibilidades: a da perspectiva que se perde, que não é substituível nem pelo branco, tampouco pelo negro claro; e a da razão de fundo, pela qual essa ausência é tão frequente, do porquê ela parece ser um detalhe menor ou, ainda, de menor importância diante da representatividade negra "preenchida" pela presença de negros e negras claros.

Esses espaços vazios são mais facilmente preenchíveis por negros claros que, sendo o elo mais fraco da corrente, frequentemente sujeitam-se a "tokenizar" suas existências em detrimento daquelas e daqueles que dificilmente acessariam essas redes de poder, e que estariam tão qualificados quanto eles para ocupar aquele espaço. Essas situações devem ser tratadas, todavia, estruturalmente, de modo que o esgarçamento das redes de solidariedade entre os sujeitos não seja um efeito natural do ambiente altamente competitivo cuja marca é a mercantilização dos indivíduos.

De fato, o gradiente da pele não é garantia de radicalidade de pensamento, de qualidade argumentativa ou, sobretudo, do compromisso com a emancipação racial. Sob pena de essencializar a negritude, é preciso que as pessoas sejam tomadas justamente pelo que são e o que representam, e não pelo que gostaríamos de projetar sobre elas. Aliás, essas projeções antecipadas são justamente as notas distintivas do racismo.

A representatividade simbólica é importante, mas o engajamento na luta contra as causas estruturais que sustentam a hierarquia racial é igualmente fundamental, inclusive nas causas relativas ao colorismo.

Esta é uma delicadeza imposta ao debate: assumir a complexidade dos discursos e não pretender antecipar uma só resposta à multitude de hipóteses possíveis. Não há resposta pronta, tampouco o equivalente da fórmula de Bhaskara para ser aplicada, não obstante as circunstâncias do caso a ser avaliado. O que é certo, no entanto, é que, do mesmo modo que assumimos a responsabilidade de avaliar a inteireza das circunstâncias quando das avaliações de denúncias de usurpação da condição negra para a utilização fraudulenta das cotas raciais, devemos também assumir as consequências da latitude necessária para acolher negros que, antes afastados da dimensão político-racial de sua existência, pretendem agora viver sua negritude na inteireza de suas dimensões.

Assim, a diversidade negra não é uma categoria relacionada exclusivamente ao tom da pele e à compleição física. Essa diversidade também significa dizer que um negro ou uma negra clara possuem vivências diversas dentro da estrutura racializada da sociedade. A depender da geografia da sua existência, da condição socioeconômica de sua família e do quanto sua compleição está próxima do arquétipo branco, negras claras podem se esquivar com muito sucesso de alguns lugares comuns do racismo: a solidão; a quase impossibilidade de acesso a postos de trabalho de gerência; a restrição ao trabalho precário e a pouca escolarização. Essas barreiras são razoavelmente mais altas, senão muitas vezes intransponíveis àquelas e àqueles que apresentam somente os traços de africanidade, sem quaisquer elementos que remetam ao arquétipo branco. Contudo, isso não quer dizer que possamos afirmar que, sob essas condições, são tratados como "quase brancos", ou simplesmente não se sujeitam à discriminação.

Quando Freyre escreve que a mulata serve para fornicar,[88] cristalizando uma concepção arraigada na nossa sociedade, é preciso admitir que o imaginário brasileiro ainda está estacionado nessa concepção de unidimensionalização do corpo feminino: aquela que o homem faz dela. Submetidas a uma ideia de que sua existência não contempla relacionamentos duradouros ou compromissos profissionais, ou que a mulher negra é irracional, algo que vai muito além da concepção de "mulher temperamental" ou "louca" concedida à mulher branca, esses arquétipos custam às mulheres negras muito caro.

Para além da vida profissional, as associações excessivas e impertinentes quanto à vida sexual da mulher negra dão a impressão de que sua intimidade faz parte dos aparelhos públicos da pracinha da cidade. Um exemplo disso é o fatídico episódio do então prefeito do Rio de Janeiro Eduardo Paes que, ao fazer a entrega de uma habitação social a uma moradora da cidade, passou a constrangê-la publicamente afirmando que ela iria "trepar muito aqui nesse quartinho".[89] Não satisfeito com a humilhação, o então prefeito reitera suas ideias sobre a vida íntima da cidadã que ele não conhecia no meio de um ato público solene para dizer no microfone que ela iria fazer "muito 'canguru perneta' (...) tá liberado (...) a senha primeiro". Visivelmente constrangida, a vítima se retira da solenidade.

Esse episódio exemplifica bem o quanto mulheres não racializadas gozam de um código de tratamento absolutamente distinto daquele reservado às mulheres negras. Se sorriem, estão aptas a uma investida, se são sisudas, são convidadas a ser mais sociáveis e "civilizadas", ou seja, há uma presunção de que o comportamento da mulher negra deve se moldar aos alvedrios de seu interlocutor, especialmente quando ele é branco ou branca. Contudo, como não podia deixar de ser, o feminismo leva essas contradições para o seu interior, inclusive na relação de proximidade entre mulheres racializadas — indígenas, negras, asiáticas —, cujas incoerências permeiam invariavelmente as discussões, as escolhas dos objetos e suas interpretações.

O racismo persiste desde que a identificação racial seja fenotipicamente possível, mas em outras conformações e explorando naturezas diversas da sua existência. A hipersexualização é uma das ferramentas do colorismo, projetando sobre as mulheres um desejo reificante que evacua sua existência fora do desejo masculino de caráter "disciplinador". A subalternidade é um outro exemplo, fixando na mulher negra a função acessória, restringindo sua existência à obediência, à invisibilidade e ao cumprimento de ordens. Decorrente deste, ou melhor, da quebra do código mencionado anteriormente, surge o complexo da "negra louca", que não pode ser assertiva sob pena de ser excluída do convívio, o que vai muito além daquilo que ocorre com mulheres brancas, quando ser tachada de "histérica" não culmina necessariamente em sua exclusão sumária da relação estabelecida, seja ela profissional ou social. O estereótipo de negras supostamente inábeis em domar o próprio temperamento, irascíveis e agressivas, infelizmente, parece ser um preconceito que não se restringe ao Brasil. A situação que bell hooks narra no texto "Sororité: la solidarité politique entre les femmes" [Sororidade: a solidariedade política entre as mulheres], replicada a seguir, poderia ter sido tirada de muitas reuniões políticas ou comitês de pesquisa, não adstritamente reservados à dimensão universitária.

A classe em questão era constituída majoritariamente por estudantes negras. Várias alunas brancas reclamaram que a atmosfera na classe era "muito hostil". Elas citaram o nível de ruído e os confrontos diretos que ocorreram na sala antes do início da aula como um exemplo dessa hostilidade. Nossa resposta foi explicar que o que elas percebiam como hostilidade e agressão, considerávamos provocações lúdicas e expressões afetuosas de nosso prazer em estar juntos. Vimos nossa tendência de falar alto como consequência de estarmos em uma sala com muitas pessoas falando, assim como uma origem cultural: muitos de nós fomos criados em famílias nas quais os indivíduos falam alto. Em sua educação como mulheres brancas de classe média, os alunos reclamantes foram ensinados a identificar a fala alta e direta como a raiva. Explicamos que não identificamos a fala alta ou rude dessa forma e os encorajamos a trocar de código, pensando nisso como um gesto afirmativo. Depois de trocar os códigos, eles não apenas começaram a ter uma experiência mais criativa e alegre na classe, mas também aprenderam que o silêncio e a fala tranquila podem em algumas culturas indicar hostilidade e agressão. Aprendendo os códigos culturais uns dos outros e respeitando nossas diferenças, sentimos um senso de comunidade, de sororidade. Respeitar a diversidade não significa uniformidade ou sermos idênticas. (HOOKS, 2008, p. 128-129)

Nesse exemplo, hooks ensina que em salas de aula multirraciais é preciso haver um reconhecimento mútuo dos códigos culturais de todos os membros do espaço, o que gera um processo de reconhecimento e conhecimento do outro que é crucial para que sejamos capazes de apreciar a diferença das perspectivas que cada um tem a oferecer — sem anular ou hierarquizar essas experiências e origens. O fato de hooks advertir que esse processo tem uma largada, mas não necessariamente um ponto de chegada, convida-nos a enxergar tal processo como contínuo, posto que fomos ensinados a temer e repelir a diferença. As regressões são possíveis, os passos em falso também, mas o que deve ser retido é que somos constituídos para valorizar os códigos culturais semelhantes às nossas experiências, demandando de cada sujeito um esforço suplementar em manter-se aberto às vivências diversas.

Esse esforço é necessário não somente entre brancos e não brancos, mas também internamente, na própria comunidade negra. Assim como brancos, árabes ou asiáticos não constituem grupos homogêneos, negros e negras são constituídos de experiências dependentes de sua condição socioeconômica, do lugar onde nasceram e mesmo das ideologias políticas a qual aderiram. A suscetibilidade a agressões físicas decorrente do racismo não é uma exclusividade dos grupos pretos. Assim como as microagressões, as injúrias raciais e a discriminação que minam a saúde mental gradativamente não vulnerabilizam somente negras e negros claros.

A colaboração mais fluida entre homens racializados é por vezes percebida quando colocada em comparação com o que vemos no âmbito feminino. Isso pode estar vinculado ao fato de que o espaço dado a homens racializados, pretos ou pardos, é significativamente maior do que aquele dado às mulheres. Essa diferença, aliás, vê-se refletida nos proventos salariais desiguais entre homens e mulheres. Contudo, não se trata aqui de depreciar o comportamento das mulheres e não reconhecer os grandes avanços que a categoria da sororidade permitiu. Trata-se, na verdade, de integrar nossas especificidades materiais na maneira pela qual interagimos umas com as outras.

Nossas triplas jornadas, nossa falta de tempo para as "tarefas" mais políticas de aproximação dos nossos interlocutores em reuniões informais e cafezinhos nos deixam mais vulneráveis a essas tensões. Assim, devemos nos organizar coletivamente para permitir que nossos diálogos, nossos processos políticos e nossas parcerias seja permeáveis a esses fatores, a fim de que nossas diversidades não sejam obstáculos para os projetos políticos de transformação social nos quais nos engajamos. Afinal, a precarização do trabalho, e especialmente a do trabalho feminino, não se resolve individualmente, mas demanda um nível de organização política que visa, nas suas práticas e nos seus horizontes, a abolição de todo e qualquer tipo de exploração.

Assim, hooks usa a alegoria do exemplo da sala de aula para chamar a atenção a um processo muito mais amplo, que engloba todas as sociedades que viveram a tragédia da escravidão.

> As mulheres brancas não são o único grupo que deve enfrentar o racismo para que a sororidade surja. As mulheres racializadas devem confrontar nossa absorção de crenças da supremacia branca, "racismo internalizado", que pode nos levar a sentir ódio por nós mesmos, para descarregar raiva pela injustiça umas com as outras, em vez de fazer isso com as forças opressivas, para ferir e abusar umas das outras ou para levar um grupo étnico a não fazer nenhum esforço para se comunicar com o outro. Frequentemente, mulheres racializadas de diversos grupos étnicos aprenderam a se ressentir e odiar umas às outras, ou a serem competitivas umas com as outras. Frequentemente, grupos de indianos asiáticos, latinos ou indígenas descobrem que podem se relacionar com os brancos odiando os negros. Os negros respondem a isso perpetuando estereótipos racistas e imagens desses grupos étnicos. Torna-se um ciclo vicioso. As divisões entre mulheres negras não serão eliminadas até que assumamos a responsabilidade de nos unir (não apenas

> com base na resistência ao racismo) para aprender sobre nossas culturas, para compartilhar nossos conhecimentos e habilidades e para ganhar força com nossa diversidade. Precisamos fazer mais pesquisas e escrever sobre as barreiras que nos separam e as maneiras como podemos superar essa separação. (HOOKS, 2008, p. 127)

Assim, além das diferenças raciais, o fator da classe social também constitui um vetor de desagregação e de divisão política entre as mulheres. Aliás, hooks[90] associa a pouca compreensão das primeiras ondas do feminismo sobre o que é a luta de classes ao seu fracasso em incluir mulheres negras e trabalhadoras a um movimento que não cessou de se elitizar durante muito tempo. Negar a existência do privilégio de classe é tão nocivo quanto negar o privilégio racial e o sexismo.[91]

De fato, os privilégios de classe e de raça são mais encontrados nos grupos de mulheres brancas, e esse exercício de reconhecimento de privilégio no estabelecimento de uma relação igualitária, não subalternizada, portanto, não está a salvo de tensões. Tecer essas relações de modo mais justo significa também apontar que a solidariedade entre mulheres negras pode surgir como elemento chave na equalização de conflitos que podem ter origem nas distintas percepções e leituras das conjunturas políticas, afetadas ou não pelo lugar de fala e pelo pertencimento de classe de cada "player".

Outrossim, seria importante que todos os membros do espaço público, brancos e não brancos, se responsabilizassem coletivamente em velar pelo tempo de fala, pelos espaços de exposição e pelas nomeações a cargos de gerência, considerando a diversidade existente dentro da comunidade negra como critério de admissibilidade. Esses espaços, se não refletem a sociedade, perdem muito mais do que meros pontos simbólicos. Eles perdem em perspectiva e em arrimo na realidade do Brasil.

Enquanto a mulher branca pode perder seu tino e ser perdoada, enquanto a mulher branca pode defender com afinco uma ideia sem ser considerada desequilibrada, a mulher negra não tem a chance de ser "perdoada" por perder momentaneamente algo que possuía. A mulher negra já nasce sob o signo de despossessão — da animalização de seus traços e seus trejeitos, da ausência da "ratio" imanente ao pensamento, constituidora do discurso. A mulher negra não pode "perder a razão" se esta nunca foi-lhe atribuída. Se de antemão a mulher é incapaz de portá-la, o que se dirá de poder defendê-la. Essas circunstâncias tendem a constranger mulheres negras a tomar seu espaço na ágora política e em cargos decisionais, repercutindo de modo ainda mais dolorido naquelas que são comumente menos visíveis ainda nesses espaços, as mulheres negras escuras. Por isso é tão importante que mulheres negras velem para que os espaços sejam divididos de modo a exigir que a presença de mulheres pretas em projetos, comitês e, certamente, eleições, seja representativa da sua presença na sociedade. Lançar-se nesses processos é um privilégio branco para o qual mulheres negras precisam, planificadamente, estabelecer um modo de colaboração mútua que as retire da invisibilidade.

> O racismo permite que mulheres brancas construam a teoria e a práxis feministas de uma maneira que está longe de qualquer coisa que se assemelhe a uma luta radical. A socialização racista ensina as mulheres burguesas brancas a pensar que são necessariamente mais capazes de liderar massas de mulheres do que outros grupos de mulheres. Repetidamente, elas mostraram que não querem fazer parte do movimento feminista — querem liderá-lo. Embora as liberacionistas entre as mulheres brancas burguesas provavelmente saibam menos sobre organização de base do que muitas mulheres pobres e da classe trabalhadora, elas estavam certas de sua capacidade de liderança, bem como confiantes de que seu papel deveria ser o dominante na formação da teoria e da práxis. O racismo ensina um senso inflado de importância e valor, especialmente quando aliado ao privilégio de classe. A maioria das mulheres pobres e da classe trabalhadora, ou mesmo mulheres burguesas não brancas, não teriam

presumido que poderiam lançar um movimento feminista sem primeiro ter o apoio e a participação de diversos grupos de mulheres. (HOOKS, 2008, p. 124)

Esses processos de instigação dos órgãos públicos a estabelecer políticas públicas que efetivamente tratem, de modo refletido e prático, das questões relativas à racialização do debate, demandam uma boa dose de organização que não necessariamente precisa ser partidária. Contudo, como toda e qualquer construção de movimentos sociais de base, as contradições sociais se veem refletidas no curso do processo, de modo que nem sempre um consenso unívoco é atingido. Uma experiência em Montreal mostra como mulheres negras e homens negros foram capazes de mobilizar uma ação que valorizou, desde o seu início, mulheres imigrantes, mulheres pretas e mulheres em situação de trabalho precário para uma causa complexa, a longo prazo, com resultados bastante satisfatórios.

No ano de 2021 a cidade de Montreal, na província de origem francesa do Canadá, criou um alto comissariado para tratar da luta contra o racismo sistêmico. No Canadá, o termo sistêmico equivale àquilo que no Brasil chamamos de racismo estrutural — questão esta brilhantemente tratada pelo intelectual Silvio Almeida no livro *Racismo estrutural* nesta mesma coleção. Este cargo provém das inúmeras recomendações — trinta e oito no total — colhidas durante os três anos de consultas realizadas pelo "Ofício de consulta pública de Montreal", um órgão autônomo, mas ligado ao município de Montreal, que é responsável por criar os mecanismos de audiências públicas, contando com a participação de especialistas. Suas conclusões, embora não tenham força coercitiva sobre o aparelho municipal, causam impacto direto na consecução das políticas públicas da cidade. A presente autora expôs um relatório que faz parte do documento final que consolidou os resultados da consulta, tendo participado da audiência em 2018.[92]

Por sua vez, essa consulta foi iniciada em razão do trabalho de Balarama Holness, organizador do grupo "Montreal em ação" e de outros grupos da sociedade civil que recolheram manualmente mais de vinte e duas mil assinaturas de modo tradicional, uma vez que a legislação municipal não permitiu que fossem coletadas de modo digital, para que o pedido formal de abertura do processo fosse iniciado. A presente autora participou pessoalmente da coleta de assinaturas e também colaborou na transcrição dos dados ao município. Esse processo permitiu, assim, que a atual prefeita do município, Valérie Plante, nomeasse a "primeira comissária para a luta contra o racismo e as discriminações sistêmicas", Bochra Manai.

A nomeação de Manai para o cargo foi recebida majoritariamente com entusiasmo pela cidade de Montreal e, sobretudo, pela comunidade imigrante e racializada da cidade, mas tão logo a notícia de sua indicação ao posto se tornou pública, uma grande avalanche midiática sobre a comissária veio à tona. Além de reportagens tendenciosas que pretendiam colocar em xeque a competência de Manai para o cargo, algo que foi rapidamente refutado pela alta titulação e pelas experiências profissionais da mesma, uma pequena parcela da comunidade negra questionou a escolha com base em sua cor. O argumento utilizado pautava-se no fato de que uma mulher racializada, de origem tunisiana, que já havia sido porta-voz de uma associação representativa da comunidade muçulmana, não estaria em posição de defender os interesses da comunidade negra montrealense, e que seria simbolicamente importante nomear uma mulher representante da comunidade negra da cidade. Contudo, Manai provém de organizações sociais de base do norte da cidade de Montreal — a porção da cidade cuja população é predominantemente negra — e já acumulava mais de uma década de trabalhos prestados na luta contra o racismo sistêmico que assola a comunidade negra de Montreal.

Analisando essas posições, verifica-se curiosamente que a crítica enderaçada à prefeita e a Manai advieram de homens negros, e não de mulheres negras, sendo que estas últimas pareciam ver com bons olhos sua indicação ao cargo. Também a partir da análise desses argumentos percebe-se que eles estão unidos por uma acepção questionável do racismo sistêmico, que pretende hierarquizar as experiências de cada grupo racializado, caindo na armadilha da reprodução interna do colorismo oriundo dos processos coloniais.

Essas discussões também são frequentes no Brasil, e possuem especificidades no que tange aos outros grupos minoritários. Em Montreal, a população é majoritariamente branca, e as chamadas minorias raciais e minorias visíveis estão fracionadas em mais de onze grupos distintos, com forte participação e engajamento na construção das narrativas.

No Brasil, os negros compõem mais de 56% da população, e o acolhimento das ondas migratórias europeias, especialmente entre os séculos 19 e 20, se deu de modo completamente distinto do que ocorreu em Quebec. O Estado brasileiro pretendia promover o branqueamento da população, estimulando a chegada de imigrantes europeus ao país, assim como facilitou financeiramente o périplo migratório das famílias europeias em alguns casos. Em Quebec, a princípio, a migração de franceses, haitianos e africanos do norte que haviam passado pelo processo de colonização francês e que, portanto, partilham a língua francesa, foi estimulada. A questão da língua francesa foi primordial para as políticas públicas de estímulo da migração desses grupos para Quebec. A longa e não encerrada luta independentista contra a opressão inglesa e pela manutenção da língua francesa e da cultura particular de Quebec estão indelevelmente marcadas pela resistência contra a assimilação.

Contudo, as ondas migratórias de tunisianos, marroquinos, haitianos, algerianos e libaneses passou a incomodar, em um dado momento, uma parcela da sociedade quebequense. Essa parte da comunidade francesa da sociedade, "de souche" ou "pure laine", identifica nos traços culturais e no número de imigrantes uma nova ameaça de assimilação cultural. Os traços culturais, como a língua materna (que não se restringem somente à língua do colonizador, visto que muitos deles também falam árabe e crioulo), a religião e outras contribuições culturais foram sendo paulatinamente integradas como ameaças "internas", vindas do exterior.

No Brasil, a crítica à escolha de Manai para o posto de comissária pela luta contra o racismo e as discriminações sistêmicas seria o equivalente a dizer que alçar uma mulher indígena a um cargo semelhante significaria invisibilizar todas as outras mulheres negras que preencheriam os critérios de admissão ao cargo. O argumento faria pouco sentido, assim como de fato não parece ter encontrado guarida junto à opinião pública em Quebec.

Ademais, o fato de o primeiro-ministro de Quebec, François Legault, ter publicado uma nota oficial criticando a nomeação de Manai é curioso. Diga-se de passagem, uma crítica que parece mais estar calcada em suas boas razões. De fato, a crítica se dirige à comissária pelo fato de esta ter participado ativamente no combate, dentro dos limites republicanos, à Lei 21, cuja legalidade é objeto de ação judicial. A referida lei, que é manifestamente discriminatória contra mulheres muçulmanas que utilizam o hijab, poderia ser contestada por qualquer cidadão ou entidade regular.

Contudo, o fato de esse engajamento fazer parte da crítica recebida por ela implica dizer que Manai não só é lida socialmente como racializada, ou seja, não é branca, como também pessoalmente sofre discriminação quando no exercício estrito e regular de sua cidadania. Aliás, a crítica à nomeação que se tornou uma questão de "Estado", subentendia que a nomeada, por ser racializada, não seria capaz de ter "objetividade"[93] na execução de suas tarefas em razão da representação profissional que já havia feito para organismos de referência em defesa de direitos das minorias e da população migrante. Ora, o posto tem por fim exatamente o combate ao racismo; portanto, curioso seria se a conselheira não tivesse conhecimento e experiência consolidada nesse campo.

Isso posto, a comunidade negra certamente permanece bem-representada, o que não significa dizer que não haja uma expectativa válida e legítima para que a próxima comissária represente a comunidade negra, a comunidade muçulmana portadora do hijab, a comunidade autóctone etc., desde que essas escolhas sejam pautadas na diversifição das estratégias de luta contra o racismo estrutural e de acolhimento de todas as perspectivas envolvendo o racismo na cidade.

## 4.2 BRANQUITUDE, BRANQUICE OU BRANCURA DIANTE DO COLORISMO

O colonialismo europeu deu-se em território africano, mas sem ter conhecido uma importante transferência de populações europeias, com exceção dos "afrikaners" na África do Sul, e da Argélia, na África do Norte, com os chamados "pieds-noirs" franceses. O processo acelerado de genocídio dos indígenas no Brasil e de estupros sistemáticos de mulheres indígenas, e posteriormente de mulheres negras, criou a mestiçagem brasileira que dá latitude à identificação racial. Essa particularidade do Brasil complexifica o processo de ver-se como negro para aqueles que possuem outros elementos raciais identificáveis, especialmente porque isso pode repercutir na perda temporária de algum privilégio racial.

Na série televisiva *Bridgerton*, produzida por Shonda Rhimes, há uma passagem curiosa que explica a existência de uma rainha negra e a presença de pessoas negras na alta aristocracia britânica. Ficcionalmente situada no início do século 19, a série descreve o romance entre Simon e Daphne, que formam um par romântico sem qualquer escândalo de natureza racial. O casamento entre os dois parece refletir uma democracia racial que, embora existente na série, nunca foi experimentada no mundo moderno, tampouco no Brasil. Essa relação nos dias de hoje não passa de uma utopia longínqua, e causou espanto em muitos. Nos olhos treinados pelo racismo, a imagem de uma negra como rainha de súditos brancos e de duques negros que se casam com jovens aristocratas causa desconforto. A despeito desse desconforto decorrente do fato de que, na realidade, nenhuma mulher negra jamais poderia ser rainha no início do século 19, não há nada que impeça que a construção de contranarrativas visem a um processo imagético livre das amarras imaginativas causadas pela escravidão. Afinal, sonhar é libertador.

O desconforto de uma contranarrativa que intenta esse incômodo, que tem como mote mostrar que os reflexos mentais sobre o que parece ser verdadeiro ou falso, natural ou artificial são adquiridos em anos, décadas e séculos, não são reduzíveis a um herói negro da Marvel ou a uma sociedade ficcional racialmente igualitária. Até para os mais convictos "aliados" da causa antirracista, a estranheza em ver negros na realeza e nas cortes ocupando lugares cativos de brancos não pode ser negada. O desconforto, ainda que momentâneo, funda-se em uma só razão: o racismo, assim como o colorismo, não decorrem da subjetividade individual. Com exceção dos maníacos obsessivos e de casos clínicos pertencentes ao campo da psiquiatria, distinguir espaços sociais com base na raça é uma operação político-econômica que demanda poderes institucionais, controle político e interesses econômicos que ultrapassam a esfera individual.

O desconforto pode ser explicado porque nossas sociedades são organizadas para repetir padrões. Do mesmo modo como aprendemos a falar por meio do reconhecimento de padrões de sons que são experimentados de modo repetitivo pelo cérebro, o racismo e o colorismo são repetidos até que da sua mimetização decorra uma naturalização do espaço a ser ocupado por certos indivíduos, na medida em que um lugar é atribuído ao branco, e outro, menor, a um negro. Mesmo que a série se declare ficcional e não indique em nenhum momento que pretende retratar a aristocracia inglesa de modo fidedigno, as primeiras cenas que introduzem personagens negros em papéis historicamente reservados a brancos parecem, para muitos, não ser verossímeis. Isso decorreria do fato de que aprendemos na escola e socialmente que essas sociedades eram escravagistas, atribuindo a negros o mesmo status social das carruagens e de seus cavalos. A grade imagética na qual somos todos socializados restringe, assim, até mesmo a imaginação coletiva, como se não fosse suficientemente crível, mesmo que para personagens ficcionais, ocupar tais lugares.

O interdito ao sonho é tão pernicioso quanto as normas proibitivas de casamentos inter-raciais ou da criminalização de expressões culturais de matriz africana. Restringir de antemão que a utopia retrate uma sociedade racialmente igualitária é a prova cabal do quanto ainda nos é difícil organizar, mesmo que ficcionalmente, uma sociedade livre de racismo e de colorismo. Nossa sociedade confere, com razoável facilidade, a licença poética ao filme holywoodiano com uma Cleópatra egípcia alva como a neve, ou ao embranquecimento do Bruxo do Cosme Velho, nosso indispensável Machado de Assis.

Essa facilidade decorre do fato de que nossa presunção socialmente adquirida associa poder e sucesso ao branco, enquanto pobreza e fracasso são relegados ao negro. O contrário, que não constitui o objetivo da luta antirracista e do combate ao colorismo, não seria de qualquer modo possível no ciclo biológico de nenhum ser vivo neste momento. Inverter essas associações não é a solução, mas tão somente o mesmo problema com sinais trocados. Algo, de fato, que a comunidade negra de modo geral não deseja. O que se quer, realmente, é construir uma sociedade na qual o pertencimento social e a raça não sejam o vaticínio inconteste da vida da mulher negra e do homem negro, tenham estes a pele mais escura ou mais clara. Cingir os desejos de pessoas negras e brancas, impondo as medidas de afeto e apreço, é algo que pertence ao mundo de opressões criado por brancos. Por isso, combater o colorismo significa também não aceitar fazer parte da equação consistente em todos os seus poderes ligados ao acúmulo de propriedade, ou na simples transferência de saberes de cunho racista — estabelecendo quem morre e quem vive, ou quem é empregado e quem deve se satisfazer em revirar a lata de lixo de brancos para encontrar o que comer. Em que pese a necessidade de reparação pelos crimes decorrentes do racismo e do colorismo, a contranarrativa que inverte esses papéis, como no caso da série de Shonda Rhimes, serve somente para curto-circuitar os automatismos racialistas sem questionar necessariamente outras opressões presentes na narrativa, como o capitalismo, o classismo e, sobretudo, o patriarcado.

Aliás, quando a narradora da história explica que a sociedade havia experimentado uma divisão racial, superada pelo casamento de um rei branco com uma mulher negra por amor, a história fixa nas relações interpessoais amorosas e, por conseguinte, no individualismo, a chave para a superação do racismo. Desse modo, permanece reforçado o discurso da subjetividade bondosa do homem branco reconhecedor do valor da mulher negra — repetindo-se o mito do homem branco salvador. Estamos diante dos limites desse tipo de empreitada simbólica que não se permite experimentar o rompimento total, ou imaginar uma crise contestatória que vise à totalidade por meio do rompimento com o capitalismo, com o patriarcado e qualquer outra forma de opressão. O limite do sonho emancipatório pode encontrar limites materiais para a sua consecução, mas nunca na mente de quem desenha o futuro ou o passado. Se a crueza de um mundo cindido em cores, posses e sexo é dada, nosso maior recurso é o de recusa ativa desses modelos, lançando-nos no processo criativo imanente a uma das poucas instâncias não proibitivas da experimentação, qual seja: o imaginário.

Os limites da representatividade nas narrativas evidenciam que, apesar do efeito positivo de ver-se incorporado sem estereotipização nas ficções, a transformação da sociedade passa pela reconstrução do simbólico, mas não parte do imaginário sem um ancoramento profundo nas condições materiais de cada sociabilidade. O espaço do discurso oferece vários portos, mas não é nem ancoradouro, nem destino de chegada da luta antirracista. Se desejamos o fim do racismo estrutural e do colorismo que perpassa nossas relações, toda e qualquer viabilidade revolucionária depende da introjeção do plano político à luta. Restringir o colorismo a um problema de cunho afetivo, de fato, evacua toda a sua existência material na reorganização das relações de trabalho diante das crises, na primazia dos serviços domésticos às mulheres de pele escura, na própria maneira pela qual nossas opções eleitorais são mais ou menos viáveis em períodos de eleição.

Minar a exploração de mulheres e homens, seja pela classe, pela raça, ou pelo sexo, depende desses fatores alinhados e muito bem estruturados no seio das lutas populares. As sobreposições das opressões impõem àquelas e àqueles que desejam transformá-las algo eminentemente prático: não há revolução feita em parcelas. Como na vida, nossos desafios individuais e coletivos aparecem entrelaçados, os desafios psíquicos projetam-se no âmbito profissional, as amarras sociopolíticas se reproduzem no seio familiar, nosso passado colonial e patriarcal avança sobre nossas escolhas ideológicas e nossas relações amorosas. Tudo ao mesmo tempo, em um processo irrepreensível cuja força não poupa absolutamente ninguém. Assim é o processo revolucionário. Para que o colorismo não mine a sororidade entre as mulheres na luta contra o patriarcado, é preciso ir além do simples reconhecimento das vantagens trazidas pela pele negra clara e pelos traços associados àquilo que compreendemos como branco, é preciso reivindicar que os espaços políticos não sejam divididos entre pretos e pardos, mas multiplicados — equitativamente. Para que seja possível combater o capitalismo, é preciso conectar as lutas contra a financeirização do mercado com as demandas do precariado sem benefícios previdenciários, sem conta bancária e sem carteira assinada.

Outrossim, se o feminismo branco relegou a luta de mulheres negras ao segundo plano durante séculos, é inegável que a luta do feminismo negro usou certos marcadores estabelecidos por ele criando novas pautas relativas às mulheres racializadas que também serviram de reboque às outras — e isso sem pedir licença, usando da legitimidade de suas reivindicações. Mulheres negras de pele clara puderam assumir sua negritude depois dos movimentos de visibilização de sua luta por pioneiras como Lélia Gonzalez e Sueli Carneiro. Alçando a pauta da negritude como objeto de pesquisa e vetor de condução política, paulatinamente foi-se criando um processo no qual mulheres negras de pele clara puderam encontrar pertencimento político e racial. Abandonar a subalternidade do "quase" branco para o protagonismo do "orgulho negro" depende do lugar que o indivíduo encontra para si na multiplicidade das africanidades existentes, mas também da admissão daquilo que ele ou ela sempre souberam ser. Esse processo vai além da busca pelo acolhimento ou aceitação por grupos de poder, pois busca compreender o quanto de nós mesmos fora perdido nos processos coloristas de assimilação da africanidade dentro dos padrões normalizadores brancos. De fato, reconectar-se com os elos familiares e comunitários, religiosos e culturais, auxilia aqueles que acabam por perceber que a assimilação racial faz parte do projeto de embranquecimento que, muito longe de almejar integrar o que é não branco às esferas de poder, objetiva, tão somente, descreditar e esvaziar de valor tudo aquilo que foge do padrão normalizado erigido pelos brancos durante séculos.

O abandono de práticas de branqueamento vai muito além do âmbito estético. Abraçar sua negritude significa identificar que a organização racializada da sociedade permite o que chamamos de "trânsito" em espaços de poder predominantemente brancos, sem que disso resulte pertencimento ou aceitação. Contudo, além do desconforto de se esgueirar nessas esferas trazendo consigo as marcas da africanidade, é forçoso admitir que, mesmo se fosse possível, haveria ainda um impedimento central. Ser lida eventualmente como "menos negra", em termos políticos ou estéticos, não faz de ninguém branca, assim como não altera sua condição social atrelada materialmente no

Brasil ao seu berço, contra o que ginásticas discursivas ou procedimentos estéticos podem muito pouco.

E, mais importante que isso, a organização política desses meios defende práticas de extermínio que colocam negras e negros, claros ou escuros, no alvo. Práticas violentas de disciplinização, ideologias excludentes e políticas de concentração de riquezas que têm como pressuposto perpetuar o fosso social entre negros e brancos, ainda que haja um convite efêmero para sentar-se à mesma mesa. Essas práticas, relacionadas ao que é ser branco no Brasil e no mundo, fazem parte do arcabouço de medidas que permitiram que riquezas fossem transferidas violentamente de países africanos e latino-americanos diretamente para o patrimônio de monarquias, famílias aristocratas e, por fim, multinacionais. O desejo atávico de pertencer a esses círculos expressa muitas vezes um simples reflexo de sobrevivência, ainda que precário. Contudo, é preciso dizer que perfilar ao lado dos seus não requer coragem, mas simplesmente uma leitura material da realidade, sem ilusões quanto ao potencial libertador que o cárcere luxuoso pode apresentar.

Virar as costas aos reflexos embuçados oferecidos pela branquitude a negros de origem mestiça é um ato político, que não pode ser vivido em sua plenitude sem a compreensão do que é se investir no processo de libertação do racismo e do colorismo. Do mesmo modo que afirmar-se indígena no Brasil requer muito mais do que pura vontade ou conhecimento de uma bisavó pertencente a uma etnia em extinção, afirmar-se negra ou negro, além da simples declaração, requer tomar para si as lutas de um povo que jamais desistiu da sua liberdade, ainda que sob o estupro, a perda de seus traços e de parte da sua história. O que ficou, o que ainda é visível, é mais do que suficiente.

Afirmar que negros de pele clara podem escolher entre ser brancos ou negros é uma falácia. Ser lido como branco requer critérios multifatoriais, mas sem dar a negros mestiços qualquer possibilidade de escolha. O poder não circula livremente, ele tem donos que zelam por sua distribuição. Portanto, há que se distinguir entre o que é ser branco de cabelo crespo e ser negro com um nariz longo e lábios finos. No Brasil e no mundo, os critérios para ser considerado branco são muito mais estreitos do que aqueles para ser negro, e a razão dessa clivagem decorre do fato de que as vantagens materiais sustentadas pelo discurso da superioridade branca devem ser excludentes da alteridade e normalizadoras dos traços que esse grupo carrega. Nos Estados Unidos e no Canadá, basta não ser branco para ser racializado e, portanto, discriminado. No Brasil, uma vez que a maioria da população é negra ou parda, a latitude de critérios para a classificação da identidade negra é ampla, desde que os traços da negritude ainda sejam visíveis. Em uma sociedade mestiça, no qual o elemento negro é prepoderante na construção das identidades, o colorismo serve como um ímã que amalgama racializados e, portanto, sujeita essas identidades ao racismo. A discriminação em uma sociedade mestiça de maioria negra precisa de um instrumental ideológico que não permita que da mestiçagem surja uma confusão racial entre brancos e negros. O colorismo, assim, facilita o enquadramento discriminatório necessário para manter as desigualdades entre os grupos, restringindo o acesso de mestiços à identidade branca enquanto houver elementos visíveis de negritude. A identidade branca é, por excelência, restritiva, enquanto a negra é inclusiva, posto que a reserva de poder no capitalismo precisa, necessariamente, ser salvaguardada de qualquer tipo de horizontalização.

## 4.3 EXISTIR SEM SER BRANCO E RESISTIR PARA PODER SER NEGRO

A condição negra é imanente quando ela se apresenta na compleição física, no sentido de que ela está presente na construção identitária do sujeito, quer queira, quer não queira. Essa condição é imposta, da infância à idade adulta, para quem cresce e se sociabiliza sendo identificado pela sociedade como negro, ou pelas infelizes e insultantes nominações de "mulato" ou "morena escura". Forçar o balizamento de corpos negros brasileiros a um corpo dificilmente visto até na Suécia, composto de compleições, de uma tez ou de um modo de se expressar e de se portar que não tem absolutamente nenhuma relação com o que vemos nas ruas, becos, bares e esquinas, indica o quanto esse arquétipo branco ideal é profundamente neurótico e inalcançável no Brasil. E isso é um projeto, ou seja, trata-se de uma estratégia para manter negros e negras eternamente convencidos de que não são bons ou belos o bastante para ocupar os espaços que poderiam se não fosse a organização artificialmente posta da sociedade. Um arquétipo nacional legítimo deve ser aquele facilmente encontrável em COHABs, periferias, favelas, bairros, comunidades e escolas públicas, e deve corresponder à realidade de boa parte dos brasileiros. Senão, estamos diante de mais uma pura e simples fórmula de imposição racista que mata, recalca desejos, obstrui carreiras e bloqueia sonhos.

O bonito e indispensável trabalho de Djamila Ribeiro na rota de uma pedagogia nacional sobre o racismo nos ensina que o "lugar de fala" é menos interdito e mais libertação da voz daqueles a quem nunca permitimos falar. Entretanto, quando superadas as barreiras iniciais do discurso e dos guardiões dos espaços de poder, enfrentam-se ouvidos moucos, corações impermeáveis e mentes reacionárias curricularmente pelo epistemicídio. Quando Lélia Gonzalez admite o pretuguês, e assevera que precisamos assumir "nossa própria fala", avisando que nossos trabalhos darão vazão às perspectivas daquelas e daqueles considerados ralé, que são tratados como escória, isso também significa dizer que negros mestiços precisam reconhecer suas vantagens e fazer delas trampolim para todos os outros, sejam eles mais claros ou mais escuros, sejam eles indígenas ou mestiços. Além da importância da solidariedade social, do compromisso com a comunidade, da ética com os seus pares e da responsabilidade com as próximas gerações e com aqueles que pavimentaram nossos saberes em direção à emancipação, trata-se de assumir que essas experiências pendulares entre o "não branco" e o "não suficientemente escuro" criam um espaço — curiosamente construído, a princípio, a partir de um "não lugar" — de criação de novos saberes e de experimentações políticas. As transformações do mundo, ao menos aquelas que verossimilmente permitiram os avanços necessários para que nos tornássemos sujeitos e, depois, cidadãos votantes, têm nas experimentações o seu grande dínamo, cuja força permite que a história da libertação negra seja essa sucessão de resistências, guerras, revoltas e estratégias políticas de sobrevivência que pemitiram alavancar mais espaços e mais conquistas, apesar dos retrocessos que diuturnamente nos assolam.

Quando Gonzalez diz que os negros estão na "lata de lixo da sociedade brasileira",[94] ela não retifica dizendo que a lata do negro de pele clara seja diferente da lata do negro escuro. Contudo, ainda que fossem, ambos estariam confinados à mesma condição de quem lá está: lixo, ainda que sob um gradiente de cor diferente. Assim, sua célebre frase de advertência: "o lixo vai falar, e numa boa" indica-nos que essa fala também pertence a negros de pele clara, que assumem a tarefa de repudiar o seu branqueamento para fins políticos ligados aos interesses de quem os oprime, abraçando com orgulho e galhardia a identidade que lhes fora imposta, certamente, mas também da qual se valeram para estabelecer seu lugar na sociedade brasileira: negros.

Quem deseja ir para o "fim da fila" do desejo, do apreço, do acolhimento e do respeito? Ninguém. Contudo, esse "fim da fila" no Brasil tem maior latitude do que em outros países, sendo que negros miscigenados, portanto não brancos, compõem esse mesmo lugar, de fim, com negros de pele escura, que muito provavelmente são miscigenados também em alguma medida. Nesse jogo de assimilação no qual as regras não são estabelecidas por negros, opor-se contra a alienação racial significa encontrar na negritude um contraponto identitário, um lugar, na relação com a alteridade branca. Perceber a negritude como "um ponto de partida e um termo último", como diz o filósofo Jean-Paul Sartre, é justamente permitir que sejamos capazes de "morrer a cultura branca para renascer com a alma negra".[95] Significa deixar morrer, ou destruir, aquilo que se afirma como o único meio de existir, deixando viver o sentido político revigorado de uma existência que, por si só, re(existe) como oposição última e radical a tudo o que se mostra como pronto e acabado, insuperável ou indestrutível.

Contudo, nesse movimento é preciso evitar as armadilhas da construção de uma ontologia negra orientada à essencialização das existências. Aliás, Frantz Fanon aponta muito bem que a negritude deve servir como um termo mediador em movimento do pensamento, e da política, que parte do indivíduo, mas visa ao universal e à coletividade. Sem obliterar a subjetividade do indivíduo, como faz o racismo, as identidades negras devem ser construídas em um estado de ausência sob uma sociabilidade racista. Se ao negro o branco impõe uma negritude que está associada ao animalesco, ao não humano, e a atributos negativos de modo geral, a emancipação advém necessariamente de negar esse lugar existencial, falseado e aprisionador. Em um movimento que mais se parece uma aproximação do que um distaciamento do pensamento hegeliano,

Fanon propõe compreender as questões raciais nesse movimento de dentro para fora, mas insistentemente ressignificando a compreensão da condição negra como um produto das relações de produção e da alienação produzida no capitalismo.

De nada vale caricaturar o preto brasileiro para uma africanidade ilusória e monolítica distante da diversidade cultural existente atualmente na própria África, assim como é estéril ignorar que o trânsito racial decorrente da miscigenação permite ao negro de pele clara facilidades que dificilmente existem para outras compleições mais fortemente ligadas à africanidade. E isso precisa acabar. Dread-locks, tranças, contas e turbantes contam uma história, e essa história precisa ser respeitada. Nesse sentido, a herança indígena que portam negros de pele clara e negros de pele escura também precisa deixar de ser invisibilizada. Mas isso não no sentido de se evocar uma identidade para a qual não se tem permissão, tampouco conhecimento, mas para apoiar e integrar as pautas indígenas às pautas antirracistas com o mesmo afinco e apreço.

A fundamental colaboração do povo indígena para a construção da identidade nacional não pode ser invisibilizada por quem conhece por dentro as agruras do epistemicídio e do genocídio, do estupro sistêmico e das violências discursivas. O fato de não sermos alvo do racismo contra indígenas, apesar dos traços menos ou mais presentes, não diminui nossa corresponsabilidade na sua eliminação. Aliás, é preciso dizer que mesmo sem a identificação indígena no fenótipo, muitas desigualdades materiais decorrentes das invasões dos seus territórios e do abandono das tribos por questões de sobrevivência contribuíram para a precarização das condições materiais de seus descendentes mestiços hoje. Ainda que haja uma predominância fenotípica negra no indivíduo, e que a herança cultural indígena tenha se perdido com o passar das gerações, isso não o resguarda da transferência das consequências práticas da miscigenação não branca no Brasil: a pobreza. Assim, por força das desigualdades multifatoriais presentes na comunidade negra, presentes também nas comunidades indígenas e tradicionais, cujas raízes estão visceralmente conectadas pela empreitada colonial que aprisionou os povos originários e aqueles que aqui chegaram nos navios negreiros, há que se fazer da luta antirracista uma só luta.

Guardadas as suas especificidades, o estabelecimento de pontes cada vez mais largas entre a luta indígena e a luta negra pela emancipação pode promover um salto qualitativo e quantitativo no que tange às estratégias empregadas e nos resultados buscados. Essas comunidades estão fulcralmente conectadas desde o século 16 no Brasil, sendo a miscigenação um aspecto não negligenciável de união entre seus povos. Nada seria mais bonito do que conseguir inverter o sinal do colorismo de negativo/pejorativo para positivo/construtivo, na medida em que, após a denúncia e compreensão do que foi o colorismo, fosse possível ressignificá-lo completamente. Para isso, é preciso que as vítimas do colorismo, negros e indígenas, se apropriem do conceito para ressignificá-lo. Se esse processo de ressignificação for capaz de manter sua plasticidade, o colorismo ressignificado poderá servir como um instrumento de propulsão de diferentes identidades para um fim comum: a destruição daquilo que nos esmaga como sujeitos livres, que nos impõe identidades opressoras de um lado e oprimidas de outro, e que prima, acima de qualquer coisa, pela justiça social e racial como fundamento de base.

Para isso, o colorismo crítico abandonaria o terreno colonial eugenista de "melhoramento racial" promovedor do embranquecimento da população, passando a servir como instrumento de agregação das lutas por dignidade racial e reconhecimento de direitos. Ultrapassando sua nota disruptiva, o colorismo passaria a ser associado à solidariedade política ativa entre negros, amarelos, indígenas, amefricanos, ou seja, todos os que são submetidos à racialização, preservando suas especificidades, mas mirando no centro nevrálgico da produção de hierarquias raciais produzidas no seio capitalista. Da denúncia da racionalidade destrutiva do capitalismo e da emergência de um novo mundo com base em princípios materialmente igualitários, esse novo colorismo crítico torna-se uma categoria de agregação das lutas identitárias em um mundo cada vez mais mestiço, sem perder de vista que suas matrizes raciais permanecem como bacias de guarida das culturas, dos saberes e das estratégias ancestrais de combate contra a exploração.

Há um potencial revolucionário ainda não mobilizado na união das lutas antirracistas de negros e indígenas pelo mundo que passou a ficar ainda mais visível com os processos de mudança climática. É preciso ter coragem, mas uma coragem socialmente constituída, para que haja uma ressignificação do colorismo. A potência da união das pautas anticapitalistas, de luta contra as mudanças climáticas, da proteção dos territórios indígenas e de justiça racial, social e de gênero é, hoje, o único meio viável de se fazer frente ao capitalismo em estágio avançado de financeirização e, portanto, de decrepitude do modelo clássico que vivemos até o início do século 21.

Da união dessas forças, portanto, recuperam-se os valores da sociedade que com tanta violência tentou-se aniquilar, afirmando-se sua pertinência e seu valor. Na cultura bantu, como ensina Placide Tempels, todas as questões relacionadas ao ser são resumidas em uma afirmação simples, mas cheia de significado: o ser é força. Não se trata de uma força qualquer, tampouco de se dizer que o sujeito tem a força ou tem força. A força não é um predicado do ser, ela não constitui seu atributo. Na verdade, o ser e a força equivalem à mesma coisa. Em sentido inverso, assim, o ser é, na verdade, a própria força e, por isso, cada força individual tem sua existência dependente da relação de umas sobre as outras. O universo inteiro é constituído, na filosofia bantu, de uma rede de forças a partir do momento em que a criação ocorre, seja dos minerais, passando pelos grandes ancestrais, até nós mesmos, os animais e as plantas. Sendo assim, nada pode ser considerado inerte, pois não existe um "grau zero" da força.

Para Tempels, uma das grandes lições da cultura bantu é ensinar que a força só pode crescer, e tudo aquilo que faz essa força aumentar é bom, enquanto é ruim tudo o que lhe diminui.[96] Portanto, de acordo com a cultura bantu, a força só tem um sentido — o da expansão e da agregação —, sentido este que pode ser útil na compreensão de como é fundamental para negros claros e escuros reconhecerem sua absoluta igualdade, sobretudo quando esta igualdade é negada de fora para dentro e de dentro para fora. Isso implica que negros claros reconheçam sua responsabilidade na luta antirracista, o que não significa somente fazer bom uso do seu capital cultural ou econômico em benefício da justiça racial. Manifestamente, compreender os engenhos do colorismo significa não obliterar as infinitas possibilidades que se abrem com uma real diversidade de pensamento, de existências e de experiências, e para isso uma mera carta de princípios é absolutamente insuficiente. É necessário ir além do campo das intenções, e, de modo pragmático, estabelecer que um espaço embranquecido, ou que faz uma espécie de "jabuticaba-pick", concedendo vantagens a negros de origem mestiça, termina por reproduzir o ideário supremacista branco que nunca foi e nunca será capaz de dar conta dos problemas do país.

Comprometer-se na luta contra o colorismo demanda romper com conveniências e valorizar a ocupação dos espaços por vozes e cores que passaram tempo demais silenciadas ou invisibilizadas. Muito além da ética emancipatória e da elevação da igualdade ao seu campo material, essas transformações permitirão que narrativas antes excluídas e problemas parcialmente reconhecidos possam, finalmente, integrar a esfera pública com a devida importância e urgência, sendo compreendidos na sua inteireza. Problemas ligados ao reconhecimento de terras quilombolas, de saúde pública, de violência desproporcional que tem levado ao extermínio da juventude negra no Brasil são só alguns dos pontos que precisam ser abordados levando-se em conta os meandros do colorismo.

# CONCLUSÃO

Por que compreender o colorismo é algo tão importante em meio a tantas outras questões candentes da nossa sociedade? Compreender a urgência da luta antirracista no seio de qualquer outra reivindicação de cunho político não seria suficiente para promover a igualdade racial entre negros e entre negros e não brancos? Infelizmente, não. A literatura nos fornece uma resposta negativa a essas duas perguntas. Os saberes institucionalizados nos dizem que não, assim como as narrativas legadas por aqueles que já se formaram. As estatísticas que apontam as discrepâncias socioeconômicas entre pretos e pardos também nos levam a crer que não. Aliás, a própria nomenclatura do pardo parece insuficiente e anacrônica para, de um lado, marcar o pertencimento necessário à negritude, e de outro, distingui-lo das outras racializações que integram o campo do não branco.

O conceito político do colorismo, assim, não poderia servir como resposta padrão para a complexidade da história racial do Brasil, atravessada de contradições e injustiças. Ele não tem o condão de encerrar, em si, todas as nuances e mobilidades da ideia de negritude. A busca por eliminar qualquer forma de discriminação de gênero, classe e raça, contudo, não pode escapar de um doloroso olhar para dentro que busca, na intimidade e nos nossos irmãos de jornada, a porção do problema que aderiu ao olhar que dirigimos a nós mesmos.

Ainda que composto inequivocadamente em substância e forma por narrativas não lineares e desdobramentos de irregulares consequências no que tange a negros claros e pretos, o colorismo nos oferece ao menos uma certeza: sentir-se pertencente a uma raça depende mais do olhar do outro do que daquele que nós mesmos nos oferecemos. Disso infere-se que a construção identitária do negro no Brasil é uma criação supremacista branca, que pretendeu disciplinar e hierarquizar negros e negras segundo a pigmentação da sua pele, ou seja, de acordo com a maneira mais fácil de distinguir visualmente o outro, compreendendo todos aqueles traços que são capazes de associá-lo à africanidade.

Contudo, na luta antirracista, de nada vale o sujeito arrogar-se uma raça se o silêncio e a prostração tornam-se os únicos elementos políticos advindos dessa condição. Ser negro, para além do fenótipo e da sua estetização, precisa também significar um compromisso ético com a emancipação do povo negro, que pode e deve ser exercida por aqueles que, originados na mestiçagem, pretendem cumprir esse papel na sua integralidade. Um compromisso no qual não se investe de modo individual, mas coletivo, como uma qualidade inerente ao fato de ser uma pessoa entre outras, o que na esteira da noção bantu de *ubuntu* siginfica "*ser graças ao que nós todos somos*".

Se a democracia for um valor realmente caro a todos os brasileiros, a eliminação do racismo deve ser síncrona ao processo de obliteração do colorismo, que reivindica, na estratificação de negros, uma baliza racial que não pode sobreviver em sua sociedade ancorada sobre os princípios da justiça e da igualdade. Uma das grandes heranças culturais do império Mali é a ideia de *maaya*, um conceito que significa "estar bem na sua cabeça", cujo significado nessa cultura pode ser resumido a estar "integrado à sua comunidade, capaz de se conectar com os outros, ajudar, se mobilizar e respeitar a cultura uns dos outros".[97] As noções que revelam a importância da ajuda mútua e da solidariedade entre tribos distintas e até mesmo rivais são abundantes na cultura africana. Por isso mesmo, rejeitar o colorismo como parâmetro de relação entre negros também significa restaurar uma conexão cultural profunda com a ideia de que não se perde o que nos pertence como comunidade, mesmo quando certos traços parecem fenecer no tempo.

O colorismo que atinge desproporcionalmente mulheres e homens estabelece também uma grande necessidade de solidariedade entre negros e negras, especialmente no que tange à situação de uma vulnerabilidade muito maior em que se encontram ainda aqueles que portam indistintamente a africanidade como traço único. Por isso, se não há espaço político para pretos, esse espaço não pode ser digno de nenhum outro negro. Não é possível ser ou estar onde os outros de nós não podem estar e ser. Recusar a admissão de critérios que deixam mulheres negras ainda mais suscetíveis a abusos e exclusões refere-se também a adotar uma postura antirracista no interior da comunidade negra que, embora não seja a responsável pela existência do colorismo, pode ser a instigadora e a protagonista de sua aniquilação. Para isso, somos todos levados a confrontar as razões últimas da supremacia branca e do racismo, o que passa necessariamente pela compreensão da relação entre a hierarquização racial e o modo de produção econômico sob o qual vivemos. A luta anticapitalista, como é a luta antirracista, não se faz sem uma certa erotização coletiva pelo novo, pelo alternativo, pelo outro, pelo que ainda não foi tentado.

Superar o colorismo e refundar uma sociedade livre de hierarquias raciais faz parte desse caminho que, para além da celebração das diferenças, precisa ser um elemento integrante do processo de derrocada de toda forma-valor que imponha relações sociais abstratificadas e quantificáveis que se encerrem em uma cama de Procusto na qual ninguém deveria ser obrigado a se prostrar.

# NOTAS

1. Norman Ajari explica como a identidade negra e norte-africana é também alvo de um debate político na França, opondo autores ditos "essencialistas" e outros "antiessencialistas". O autor resgata o debate iniciado por Ernesto Laclau e Chantal Mouffe na obra *Hegemonia e estratégia socialista*, de 1985, identificando neste ponto o início da adesão da esquerda francesa a uma postura "antiessencialista de classe" que se tornaria a pedra angular de debates sobre as questões raciais que se estendem até o presente. Ajari critica o que ele chama de confusão entre os conceitos de identidade, conceito esse necessário na compreensão de um mundo racializado pelos processos de colonização, e o de identificação promovido por Stuart Hall. Criticando que a esquerda coloque como prioridade a desconstrução das essências, restringindo-se à temática do identitarismo e de sua "deriva", em detrimento do que materialmente produz o racismo, ele aponta para questões bastante pertinentes à realidade brasileira. Se a racialização força que um segmento inteiro da sociedade não tenha acesso a direitos de modo igualitário, a questão está menos em pôr-se contra ou a favor de identidades essencializadas, e mais em promover-se a igualdade racial negada pelas variadas violências impostas a essas identidades "fora da norma". Segundo Ajari: "O racismo sendo uma negação, um aniquilamento do ser de populações que ele toma como alvo, a revalorização do ser é o momento mais fundamental de toda estratégia política antirracista consequente. Sob a cobertura de prevenir hipotéticas fixações identitárias, o antiessencialismo se interpõe entre os oprimidos e sua própria história, os distanciando de sua própria libertação." (AJARI, Norman. "Os pontos cegos do universalismo: o antiessencialismo contra a história." *In*: Revue du Crieur. Paris: La Découverte, 2019/3, p. 152-159.)

2. A teoria dos arquétipos introduzida pelo psiquiatra e psicanalista Carl Gustav Jung está na origem da utilização moderna do termo "inconsciente coletivo", oferencendo categorias como o arquétipo da família, da mãe, do pai, do masculino e do feminino. Sua aplicação nesta obra se faz de forma extensiva, sem apego estrito ao conceito desenvolvido na psiquiatria, uma vez que, em

termos raciais, não poderia ser compreendida na grade categorial desenvolvida originalmente por Jung. Como ele advertiu: "Aqui também, no entanto, se tratam de formas cunhadas de um modo específico e transmitidas por longos períodos de tempo. O conceito de *archetypus* só se aplica indiretamente às *représentations collectives*, na medida em que designa apenas aqueles conteúdos psíquicos que ainda não foram submetidos a qualquer elaboração consciente. Nesse sentido, representam, portanto, um dado anímico imediato. Como tal, o arquétipo difere sensivelmente da fórmula historicamente elaborada". (JUNG, Carl Gustav. **Os arquétipos e o inconsciente coletivo**. 2ª ed. Petrópolis: Vozes, 2000, p. 17.) Propomos aqui utilizá-lo em um sentido ampliado, a fim de conceituar o emaranhado de valores e imagens associadas ao negro e à africanidade. Etimologicamente, se "arche" significa início, origem, causa, princípio da fonte primordial, ele também significa uma posição de liderança, regra suprema e dominação. Já "tipo" significa sopro, ou aquilo que é produzido pelo sopro, por conseguinte, a impressão da moeda, a forma, a imagem, o protótipo. Para o psicanalista, os arquétipos auxiliam na compreensão de como constroem-se as generalizações sobre comunidades e identidades. Como dito, propomos usar o termo de modo ampliado, abarcando as raças, que passam a verter significados constitutivos sobre o modo como nos relacionamos no interior e/ou no exterior dessas construções, seja com pessoas similares ou distintas de nossas origens. Segundo Anthony Stevens, psiquiatra junguiano, muito antes de Noam Chomsky teorizar na linguística sobre as propensões inatas relacionadas ao desenvolvimento da fala articulada e de Lévi-Strauss na antropologia buscar fatores inatos que determinariam a percepção das relações socias, Jung já teria na psicologia descoberto essas relações explorando o "estudo da mitologia, das religiões comparadas, das lendas e dos contos de fada, dos sonos e dos pesadelos". (STEVENS, Anthony. **Archetype revisited:** an update natural history of the self. 2ª ed. Londres: Brunner-Routledge. 2004. p. 50.)

3. "Embora os estudiosos das relações raciais no Brasil reconheçam há muitos anos que as categorias raciais são baseadas

na aparência e que podem variar ao longo de um contínuo que vai do mais escuro e negroide ao mais claro e caucasiano (a própria classificação do IBGE reconhece essa hierarquia ao usar os termos branco, pardo e preto), praticamente todas as evidências quantitativas sobre desigualdade racial são baseadas na dicotomia branco *versus* não branco ou na comparação de três categorias raciais (branco, pardo e preto). Essa maneira de usar a variável ajudou a mostrar que a desigualdade racial é alta e persistente ao longo do tempo. Esses resultados, no entanto, são frequentemente questionados por causa de uma outra característica das relações raciais no Brasil: a ambiguidade da classificação racial e a possibilidade de 'embranquecimento' dos mais ricos e daqueles com mobilidade ascendente. Tendo em vista que a classificação racial é baseada na aparência e definida nas interações sociais, há espaço para que as pessoas se apresentem e sejam vistas pelas outras como 'mais brancas' do que seriam se estivessem em posições de classe mais baixas. Se esse tipo de processo social estiver ocorrendo, fica difícil ou impossível saber se os níveis de desigualdade racial observados são confiáveis. De fato, pesquisas recentes mostram que o processo de 'embranquecimento' com o dinheiro realmente ocorre (Schwartzman, 2007) e que diferentes maneiras de medir raça ou cor (dividir o contínuo racial em diferentes pontos) levam a avaliações diferentes sobre os níveis de desigualdade racial (Loveman, 2011). (...) Por causa dessas particularidades o estudo das relações raciais no Brasil mostra que a estratificação racial permanece mesmo em contextos com muita miscigenação e altos níveis de ambiguidade classificatória em termos de raça. A miscigenação e a ambiguidade classificatória são cada vez mais estudadas em outros países da América Latina e nos Estados Unidos (Telles, 2009; 2014). Nos Estados Unidos, por exemplo, os níveis crescentes de casamento inter-racial e a possibilidade de ambiguidade classificatória têm sido vistos como um novo aspecto das relações raciais (Harris, 2002; Telles, 2009). Mais uma vez, o estudo das relações raciais no Brasil parece ser relevante para pesquisadores em outras partes do mundo." (RIBEIRO, Carlos Antonio Costa. "Contínuo racial, mobilidade social e "embranquecimento". São Paulo: Revista Brasileira de Ciências Sociais, v. 32, n. 95, e329503, 2017.) Disponível em: <http://www.scielo.br/scielo.php?script=sci_arttext&pid=S0102-69092017000300512&lng=en&nrm=iso>. Acesso em: 9 mar. 2021.

4. NDIAYE, Pap. **La condition noire**. Paris: Calmann-Lévy, 2008, p. 115.

5. O conceito de negritude provém dos anos 1930, inaugurado pelo poeta Aimé Césaire, e posteriormente também desenvolvido por Léopold Sédar Senghor.

6. Considerando que comumente ainda haja confusão entre o termo África como continente e os países africanos que compõem a região, vemos que a incompreensão sobre a imensidão da cultura africana é realmente uma dificuldade antiga. "Os romanos usavam o termo 'África' para designar o país que hoje corresponde à Tunísia. Muito provavelmente o termo venha da palavra fenícia 'Afriqah', que significa 'colônia'. A palavra árabe 'Afriqiya' designa a mesma região. Gradualmente, o termo 'África' se espalhou em várias línguas até incluir todo o continente. Outros termos às vezes eram aplicados a grandes regiões, como o termo latino 'Mauritânia' ou os termos gregos 'Etiópia' ou berbere 'Guiné' e 'Nobotia' (que se tornou 'Nubia'), indo até áreas mais extensas, mas é somente com os europeus vindos pelo Atlântico que se consagra o nome atribuído a todo continente." (MANNING, Patrick. "Chapitre 2. Les connexions avant 1600", **Histoire et cultures de la diaspora africaine**. Sous la direction de Patrick Manning. Paris: Éditions Présence Africaine, 2018, pp. 40-107, p. 45.)

7. Os negros brasileiros, assim como todos os outros negros da diáspora, estão ligados a grandes civilizações que deixaram um legado importantíssimo para a cultura mundial. Além do Império Egípcio, menciona-se o Império Axum como uma das quatro mais importantes civilizações existentes no século 7, tendo sido responsável pelo estabelecimento da única linguagem escrita naquele período histórico. Igualmente, o Império do Benin, cujo

território hoje também é associado à Nigéria, ficou conhecido na história pelo comércio importante de metais, e também o Império do Mali, que chegou a abrigar o homem mais rico da história no século 14, cujo imperador era chamado de Rei Leão. Muitas outras grandes civilizações se desenvolveram em território africano, a exemplo da Civilização Cartaginesa, localizada hoje onde se encontra a Tunísia, composta de uma sofisticada estrutura governamental, possuindo leis escritas e uma invejável rede de bibliotecas. (MANNING, Patrick. "Chapitre 2. Les connexions avant 1600", **Histoire et cultures de la diaspora africaine**. Sous la direction de Patrick Manning. Paris: Éditions Présence Africaine, 2018, pp. 40-107, p. 237-301). No Brasil, a Revolta dos Malês (1835), a Conjuração Baiana (1798), a Balaiada (1838-1841), assim como as centenas de quilombos que existiram e ainda existem, incluindo o mais longevo quilombo durante a escravidão, o Quilombo de Palmares, são provas irrefutáveis do profundo engajamento negro na sua própria libertação. Aliás, destaca-se também o Quilombo de Quariterê no Vale do Guaporé, em Mato Grosso, que foi liderado pela admirável Tereza de Benguela. No século 20, os vinte e um anos de chumbo vividos no Brasil contaram com uma resistência política importante da comunidade negra brasileira na luta contra a ditadura cívico-militar. Entre muitos exemplos, citamos o de Carlos Marighella, então deputado pelo Partido Comunista Brasileiro, e depois guerrilheiro da Aliança Libertadora Nacional, assim como Hamilton Cardoso, militante do Movimento Negro Unificado, cujas vidas são belos exemplos do engajamento até as últimas consequências em defesa da democracia e da libertação do povo brasileiro do racismo e do autoritarismo.

8. A família Pitanga é mencionada por Sueli Carneiro, mas é um exemplo entre muitos outros de homens e mulheres que tomaram para si defender sua negritude das tentativas de embranquecimento de sua história, do seu engajamento e de seus corpos por instituições ou aparelhos midiáticos. "Porém, independentemente da miscigenação de primeiro grau decorrente de casamentos inter-raciais, as famílias negras apresentam grande variedade cromática em seu interior, herança de miscigenações passadas que têm sido historicamente utilizadas para enfraquecer a identidade

racial dos negros. Faz-se isso pelo deslocamento da negritude, que oferece aos negros de pele clara as múltiplas classificações de cor que por aqui circulam e que, neste momento, prestam-se à desqualificação da política de cotas. Segundo essa lógica, devemos instituir divisões raciais no interior da maioria das famílias negras com todas as implicações conflituosas que decorrem dessa partição do pertencimento racial. Assim teríamos, por exemplo, em uma situação esdrúxula, a família Pitanga, em que Camila Pitanga (negra de pele clara como sua mãe), e Rocco Pitanga (um dos atores da novela *Da cor do pecado*), embora irmãos e filhos dos mesmos pais seriam, ela e a mãe brancas, e ele e o pai negros. Não é gratuito, pois, que a consciência racial da família Pitanga sempre tenha feito com que Camila recusasse as constantes tentativas de expropriá-la de sua identidade racial e familiar negra." (CARNEIRO, Sueli. **Negros de pele clara**. CEERT, 2016. Disponível em: <https://www.ceert.org.br/noticias/genero-mulher/13570/sueli-carneiro-negros-de-pele-clara>. Acesso em: 20 mar. 2019.)

9. NDIAYE, Pap. **La condition noire**. Paris: Calmann-Lévy, 2008, p. 114.

10. A socióloga italiana Silvia Federici se esmera em colocar os avanços da teoria marxiana ao lado das críticas necessárias à uma leitura não dogmática do capitalismo. Ela alerta que a melhor utilização das chaves interpretativas do mundo oferecidas por Marx são aquelas que se orientam pela primazia da realidade, ou seja, da materialidade do mundo. Sendo assim, as ferramentas propostas pelo marxismo só fazem sentido se dirigidas ao campo em que a exploração existe, se vertidas em direção daquelas e daqueles que são colocados, a despeito de sua humanidade, como recurso ou instância de mediação da produção do valor. Lembrando da importância de Frantz Fanon na releitura dos recursos hegelianos e marxistas no que tange à compreensão de fenômenos intrinsicamente ligados ao capitalismo, como os empreendimentos coloniais e o racismo, Federici ressalta o papel importante de intelectuais que foram capazes de assinalar os pontos cegos do marxismo, no fito de aperfeiçoar

essas teorias e refinar as práticas de combate à opressão. Ela, assim, critica um gênero de análise marxista que se paute na exclusão, de antemão, de grande parte daqueles que supostamente deveriam ser libertados e que, a princípio, precisariam ser incluídos no seu próprio processo de emancipação: "Um tipo de análise que, como aquelas de Marx, dirigiam-se quase que exclusivamente sobre o trabalho assalariado e pressupunham o papel de vanguarda do proletariado metropolitano, marginalizando, assim, o lugar das pessoas reduzidas à escravidão, dos colonizados e dos não assalariados, entre outros, no processo de acumulação e da luta anticapitalista." (FEDERICI, Silvia. **Le capitalisme patriarcal**. Paris: La Fabrique, 2019, p. 68.)

11. Propomos que a utlização do conceito de arquétipo na compreensão da racialização de pessoas negras seja feita de modo entreleçado à história de opressão de colonizadores e de resistência de oprimidos, permitindo que nuances sejam percebidas na apreensão correta dessas realidades. Um bom exemplo dessas construções similares, mas não assimiláveis umas às outras é o que ocorreu no Haiti no início do século 20. De modo a reagir ao racismo e ao colorismo que reservava apenas aos negros de pele clara os espaços de poder, o Haiti construiu uma categoria à parte de organização do poder, o *noirisme*, que poderia ser traduzido como "negrismo". Enquanto política pública estatal e ideologia promovida por Louis Diaquoi, Lorimer Denis e François Duvalier, tendo este último se tornado presidente do Haiti em 1957, o negrismo reivindicava a africanização da sociedade e a retirada de vantagens da comunidade branca, especialmente a miscigenada. Contudo, o que havia sido criado para promover a igualdade entre as raças, eliminar o colorismo e estabelecer novas balizas de uma sociedade racialmente justa acabou se tornando uma ideologia rígida, racista e repressiva, como ensina Brigid Enchill: "Enquanto a negritude combate a exploração dos negros e celebra o valor das culturas da diáspora africana, o 'negrismo', sob Duvalier, tem como objetivo oprimir aqueles que não têm a pele negra, o que faz disso uma forma de discriminação". (ENCHILL, 2021, p. 5.) De maneira maniqueísta, os defensores do negrismo apostavam

na transformação da sociedade haitiana e na eliminação das vantagens de negros claros sobre negros sem quaisquer traços aparentes de europeinidade. Muito embora acertassem nas críticas ao liberalismo, os agentes do negrismo acabaram por cair na armadilha do desprezo pela democracia, privilegiando mecanismos similares aos ditatoriais, desde que essas autoridades fossem provenientes dos segmentos de negros "puros". Essa é uma interessante passagem da história haitiana que serve como contraponto importante para pensar, no Brasil, os perigos de dualizar a desigualdade, restringindo a um só aspecto do seu constructo. De outro modo, os arquétipos que a literatura inaugurante da categoria da negritude promove, a exemplo de Léon-Gontran Damas, da Guiana, Aimé Césaire, da Martinica, e de Léopold Sédar Senghor, do Senegal, ao contrário, devolvem a dignidade aos negros, sem forçosamente ceder às facilidades da mera contraposição repressiva oriunda de uma simples inversão de sinais raciais que precisa necessariamente rebaixar o outro para se elevar.

12. FANON, Frantz. **Pele negra, máscaras brancas**. São Paulo: Ubu, 2020.

13. Ibid.

14. JAPPE, Anselm. **La societé antophage:** capitalisme, démesure et autodestruction. Paris: La Découverte, 2020, p. 217.

15. Ibid.

16. Idem, p. 218.

17. A maneira crítica pela qual a "teoria do valor", especialmente pelo filósofo Anselm Jappe, percebe a construção da forma-sujeito é bastante relevante para a compreensão do colorismo. Uma vez que a "forma-sujeito" é apreendida como uma construção histórica, e dela dependente, toda e qualquer experiência nesse campo provém de uma maneira fetichizada de perceber os outros e a si mesmo. Desse modo, o sujeito não se constrói em oposição ao capitalismo, muito pelo contrário, ele se constitui por, para e por meio dele. Se a "forma-sujeito" é ao mesmo

tempo pressuposto e consequência da "forma-valor", vemos que seu caráter assumidamente racista de estratificar, hierarquizar e reagrupar negros dentro das estruturas de dominação postas surge como uma consequência lógica da tendência desse modo de produção de submeter tudo e todos a uma necessidade de abstratificação e quantificação. O colorismo, assim, atende a esse pressuposto. O sujeito, portanto, não é o resultado exato das experiências vividas em sociedade, mas o resultado da luta entre essas experiências dentro de uma espécie de "máscara mortuária" que paralisa as feições e reflete uma única imagem estática e falseada ao exterior. "Como o valor, a forma-sujeito, que carrega o valor — e é carregada por ele — entrou em crise há várias décadas. Na acepção habitual do termo, o sujeito é autopreservação, autoafirmação: como disse Spinoza, 'o esforço para se conservar é a própria essência de uma coisa'. [Ele] é o primeiro e único fundamento da virtude. Esta asserção é a base do pensamento moderno. Porém, como vimos, a forma-sujeito está longe de se basear apenas na racionalidade e na busca razoável de seus "interesses": ela possui um "reverso obscuro". Esta dicotomia da forma-sujeito refere-se tanto à "clivagem" entre a esfera do valor e a esfera do não valor quanto ao fato de que as ações que parecem obedecer ao princípio da realidade muitas vezes são apenas desvios para a realização de desenhos muito mais sombrios advindos da primeira infância, principalmente no caso do narcisista." (JAPPE, Anselm. **La societé antophage:** capitalisme, démesure et autodestruction. Paris: La Découverte, 2020, p. 213.)

18. O conceito de raça de W.E.B. Du Bois é um precioso documento da sociologia mundial que continua preciso e atual. "Vimos esforços repetidos para descobrir, por meio de várias quantificações, diferenças novas e mais decisivas que poderiam servir como determinantes científicos da raça. Gradualmente, esses esforços foram abandonados. Hoje percebemos que não existem tipos raciais bem definidos entre os homens. A raça não é um conceito estático; é um conceito dinâmico; e os tipos raciais estão em constante mudança, se desenvolvendo, se misturando e se diferenciando. Neste pequeno livro, estudamos

a história da parte mais escura da família humana, que não está separada do resto da humanidade por nenhuma fronteira física, mas que, no entanto, forma, como uma massa, um grupo social distinto. Por sua história, sua aparência, e, em certa medida, por seus dons espirituais." (W. E. B. Du Bois. **The Negro**. Londres: Oxford University Press, 1970, p. 9.)

19. O conceito de *passing* em inglês, ou *laisser-passer*, em francês, que pode ser traduzido para o português como "passabilidade", refere-se ao fato de que alguns negros claros podem ser confundidos e assimilados como brancos em alguns espaços, mesmo que adotem intimamente a referência negra como seu marcador racial. A ambiguidade desse "lugar" pode ser amenizada por meio de um conceito chamado de "saliência", proposto por Robin Diangelo, que tenta balizar a identificação racial de acordo com os marcadores raciais mais evidentes e os traços mais reconhecidamente identificáveis a um grupo racial: "Um exemplo dessa complexidade é a utilização de categorias raciais 'branco' e 'pessoas não brancas'. Eu utilizo os termos 'brancos' e 'pessoas não brancas' para indicar as duas divisões da hierarquia racial reconhecidas no nível macrossocial, portanto, sua utilização escamoteia enormemente as variações. Essas categorias binárias deixam muito particularmente as pessoas multirraciais em uma perigosa situação de 'meio' porque elas representam um desafio para as construções e as fronteiras raciais. As pessoas mestiças são confrontadas com obstáculos particulares em uma sociedade onde as categorias raciais são profundamente impregnadas de sentido. A sociedade dominante designa a identidade racial que mais se parece com o sujeito fisicamente, sem que ela corresponda necessariamente a sua identidade interior. Por exemplo, enquanto o músico Bob Marley era mestiço, a sociedade o percebia como um negro e, por consequência, interagia com ele em função dessa percepção. A identidade racial das pessoas mestiças é ambígua, e elas são constantemente submetidas a pressões que as incitam a se expor e obrigam a escolher um campo. Essa circunstância torna-se ainda mais complexa de acordo com a origem de seus pais e de acordo com o meio ambiente no qual elas crescem. Por exemplo, uma criança negra considerada pela sociedade como

uma criança negra pode ter sido criada por pais brancos e, por consequência, identificar-se mais como branca. O mecanismo qualificado em inglês como 'passing' quer dizer justamente o fato de ser percebido como um branco quando ele não é, criando assim uma identidade de uma pessoa mestiça que permita que ela se beneficie de vantagens concedidas pela sociedade aos indivíduos brancos. Contudo, essas mesmas pessoas podem também se encontrar no limite de uma hostilidade e serem excluídas por aquelas pessoas que pensam que eles não podem se passar por brancos. É possível, ainda, que um mestiço não se considere pertencente a nenhuma categoria racial. Vale a pena notar que o termo 'passing' faz referência à capacidade de se fazer passar por um branco, mas não existe como termo correspondente em um fenômeno inverso, ou seja, a capacidade de um branco se fazer passar por uma pessoa não branca. Isso ressalta o fato de que em uma sociedade racista a direção inviável é sempre aquela em direção à categoria branca, em detrimento da pele negra. (....) Eu proponho às pessoas mestiças o conceito de saliência. (....) Nós temos todos características sociais múltiplas que se entrecruzam entre si." (DIANGELO, Robin. **Fragilité blanche**: ce racisme que les blancs ne voient pas. Paris: Les Arènes, 2020, p. 23-24.)

20. Fanon transcreve uma piada que desvela o modo pelo qual a sociedade interioriza essa suposta hierarquia entre pretos e pardos. O colorismo é tão difuso no mundo que essa mesma piada poderia provocar riso no Brasil, provando que o racismo partilha das mesmas razões de base, pouco importando onde se instala. "Um dia, São Pedro vê chegar à porta do paraíso três homens: um branco, um mulato e um preto. 'O que você deseja?', pergunta ao branco. 'Dinheiro.' 'E você', diz ao mulato. 'A glória.' Quando se volta para o negro, este lhe responde com um grande sorriso: 'Eu só vim trazer o baú destes senhores.'" (FANON, Frantz. **Pele negra, máscaras brancas**. São Paulo: Ubu, 2020.)

21. ROBINSON, Cedric J. **Black Marxism**: The Making of the Black Radical Tradition. Chapel Hill: University of North Carolina Press, 1983, p. 179.

22. MBEMBE, Achille. "L'homme blanc aux prises avec ses démons". *In*: BOËTSCH, Gilles (org.) et al. **Sexualités, Identités & Corps Colonisés**. Paris: CNRS Editions, 2019, p. 379.

23. Ibid.

24. As vantagens da pele clara e de traços associados à europeinidade não são absolutas em sociedades de legado escravocrata, uma vez que a construção do racismo é, por natureza, contraditória e permeada de incoerência no que tange a até que ponto a mestiçagem é tolerada como *laisser-passer* ao negro. Robinson, ao falar da mestiçagem, relata que essas incongruências, da América espanhola à América portuguesa, indicam que o caminho para negros claros não é menos tortuoso e violento, apesar de certas vantagens decorrerem de sua condição. "Suas consequências, porém, não foram apenas econômicas. O trabalho escravo exigia a elaboração de sistemas de controle e disciplina. Além disso, a relação entre as várias raças existentes nas novas possessões da Espanha precipitaram a formação de códigos e codificações raciais complexos. Os resultados foram práticos, embora bárbaros e absurdos. Na América espanhola, o chicote, o estoque, a detenção e a privação eram o padrão, meios pelos quais escravos rebeldes e desafiadores eram mantidos na linha. Alguns mestres eram conhecidos por chicotear seus escravos até a morte, enquanto outros por mutilar suas propriedades 'negras' com ferros de marcar quentes, mesmo após a coroa ter proibido esse ato. O pior de tudo eram os sádicos vingativos que faziam seus escravos comerem excremento e beber urina. A castração e o corte de outros membros eram comuns e legais. Aguirre Beltran relata que alguns escravos que não eram mais fenotipicamente distintos da classe dominante tinham que ser marcados com ferros quentes em lugares onde a insígnia de servidão não poderia ser, nem mesmo por um momento, escondida. O rosto de muitos deles estava completamente coberto com marcas dizendo: 'Eu sou o escravo do Señor Marque del Valle', 'Eu sou o escravo da Dona Francisca Carrillo de Peralta.'" (ROBINSON, Cedric J. **Black Marxism**: The Making of the Black Radical Tradition. Chapel Hill: University of North Carolina Press, 1983, p. 130.)

25. VAN DEN BERGHE, P.L.; FROST, P. "Skin Color Preference, Sexual Dimorphism and Sexual Selection: A Case of Gene-Culture Co-Evolution?" **Ethnic and Racial Studies**, 1986, n. 9, 1, p. 87-113.

26. FROST, Peter. "Femmes claires, hommes foncés". **Anthropologie et Sociétés**, 1989, 11, n° 2, p. 135-150.

27. BONNIOL, Jean-Luc. "Beauté et couleur de la peau: variations, marques et métamorphoses". *In*: **Communications**, Paris, n. 60, pp. 185-204, 1995.

28. O colorismo que avantaja a inserção de negros claros nos círculos de poder está presente nos resultados das últimas pesquisas do IBGE com relação ao grau de ocupação dos cargos sob os recortes de raça e gênero na esfera do Poder Executivo. Segundo o estudo "Investigação étnico-racial no Brasil: entre classificação e identificação", de 2018, a distribuição por raça e cor dentro do Poder Executivo levando em conta a distribuição racial da população brasileira é a seguinte: 51,7% de homens brancos e ,7% de mulheres brancas ocupam majoritariamente esses espaços. No que concerne às mulheres pardas, elas ocupam espaços no Poder Executivo na ordem de 43,1%, enquanto os homens correspondem a 22,4%. Para os homens considerados pretos ou negros essa proporção cai vertiginosamente para 4%, enquanto para mulheres negras essa proporção estaciona na ordem de 7,6%. A vertigem continua quando falamos da população indígena, haja vista que somente 0,3% de homens indígenas ocupam os espaços do Poder Executivo, e 0,4% de mulheres indígenas. No que tange à população considerada amarela, 3,4% de homens ocupam esses espaços, mas somente 1,1% de mulheres autodeclaradas amarelas foram identificadas. Disponível em: <https://biblioteca.ibge.gov.br/visualizacao/livros/liv101562.pdf>. Acesso em: 2 jan. 2020.

29. LEWIS, Bernard. **Race et Couleur en pays d'Islam**. Paris : Payot, 1982, p. 29.

30. BONNIOL, Jean-Luc. "Beauté et couleur de la peau: variations, marques et métamorphoses". **Communications**, Paris, n. 60, pp. 185-204, 1995.

31. FANON, Frantz. **Pele negra, máscaras brancas**. São Paulo: Ubu, 2020.

32. FEMINISMOS PLURAIS. **NOSSA VOZ, Entrevista com Deise Queiroz**. 2021. Disponível em: <https://youtu.be/NEEPXCddaKs>. Acesso em: 22 fev. 2021.

33. O assassinato covarde da vereadora Marielle Franco e de Anderson Gomes no dia 14 de março de 2018, no Rio de Janeiro, cujos mandantes ainda continuam impunes na data de lançamento deste livro, é um exemplo trágico de como a ascensão social e mesmo o reconhecimento político não isentam corpos negros de estarem mais vulneráveis diante da violência misógina e racial. A execução política de Marielle Franco desvela de que modo uma mulher negra de pele clara continua sendo alvo do racismo, muitas vezes letal, e que o machismo, associado à misoginia e ao classismo, compõe uma combinação mortífera para mulheres que não se submetem à ordem racial e socioeconômica estabelecida, que é relegar a essas mulheres espaços restritos à subalternidade e/ou à vida doméstica.

34. Este trecho da obra de Alice Walker sobre a tomada de consciência necessária por parte de negros de origem mestiça da sua responsabilidade na reprodução das ideologias racialistas revela a importância de se promover essa conversa com empatia e acolhimento de ambos os lados. "Você deve se lembrar de que estávamos falando da hostilidade que muitas mulheres negras sentem em relação às mulheres negras de pele clara, e você disse: 'Bem, eu sou clara. Não é culpa minha. E eu não vou me desculpar por isso.' Eu disse que um pedido de desculpas pela cor não é o que todos estão pedindo. No que as mulheres negras estariam interessadas, eu acho, é uma consciência intensificada por parte das mulheres negras claras de que elas são capazes, muitas vezes inconscientemente, de infligir dor sobre elas; e que a menos que a questão do colorismo — em minha definição,

tratamento preconceituoso ou preferencial de pessoas da mesma raça com base apenas em sua cor — seja abordada em nossas comunidades e definitivamente em nossas 'irmandades' negras, não podemos, como um povo, progredir. (...) E estou constantemente preocupada com o ódio que a mulher negra encontra na sociedade negra. Para mim, a mulher negra é nossa mãe essencial — quanto mais negra ela é, mais nós ela é —, e ver o ódio que se dirige a ela é o suficiente para fazer com que eu me desespere, quase inteiramente, em relação ao nosso futuro como povo. Ironicamente, muito do que aprendi sobre cores, aprendi porque tenho uma filha mestiça. Como ela tem a pele mais clara e o cabelo mais liso do que o meu, sua vida — nesta sociedade racista e colorista — é infinitamente mais fácil." (WALKER, Alice. **In Search of Our Mothers' Gardens**: Womanist Prose. Nova York: Harvest/Harcourt, 2003, p. 190.)

35. WALKER, Alice. **In Search of Our Mothers' Gardens**: Womanist Prose. Nova York: Harvest/Harcourt, 2003. p. 190.

36. Ibid.

37. Tais casos se alinham às representações grotescas e pejorativas das obras brasileiras Lamparina, Maria Fumaça e Nega Maluca, que também retratam a animalização dos traços e características de modo a reformar o ideário racista. "Lamparina, Maria Fumaça e Nega Maluca são retratadas da maneira que são não porque são mulheres, mas porque são negras, ainda que estejam submetidas às normas de uma sociedade machista, estando suas ações restritas a ambientes privados. Elas existem, explica Fanon (1983), como objeto na linguagem de homens brancos. São projeções destes que determinaram, pelo controle da palavra e imagens, onde deveriam estar e como deveriam existir. Tomando como referência os espaços em que transitam Lamparina, Maria Fumaça e Nega Maluca e a partir do que propõe Foucault, é possível afirmar que elas, assim como acontece na vida das mulheres negras reais, não foram excluídas totalmente da sociedade: foram colocadas em lugares específicos para que exerçam minimamente a liberdade! Dessa maneira, ao

essencializar suas trajetórias, individual ou como categoria, o dispositivo se efetiva como 'uma função estrategicamente dominante', nas palavras de Foucault." (NETO, Marcolino Gomes de Oliveira. "Entre o grotesco e o risível: o lugar da mulher negra na história em quadrinhos no Brasil". Brasília: **Revista Brasileira de Ciência Política** n. 16, p. 65-85. Disponível em: <http://www.scielo.br/scielo.php?script=sci_arttext&pid=S0103-33522015000200065&lng=en&nrm=iso>. Acesso em: 8 Jan. 2021.

38. GONZALEZ, Lélia. **Lélia Gonzalez:** Primavera para as rosas negras. São Paulo: UCPA Editora, 2018, p.193.

39. HOOKS, bell. **Salvation:** Black People and Love. Nova York: Harper-Perennial, 2001, p. 58.

40. Ibid.

41. Ibid, p. 59..

42. Idem.

43. Esta solidariedade necessária, contudo, deve ser decolonial, na medida em que integra o conjunto de significações históricas dessas relações sociais em uma perspectiva crítica radical. Um bom exemplo desse emprego é dado pela pesquisadora Maika Sondarjee, no livro *Perder o Sul*: "Na língua francesa, a palavra 'solidário' é, antes de qualquer coisa, utilizada no século 15 para significar, na lei, um 'bem comum de várias pessoas', onde cada um responde pelo todo. Mais do que uma simples ajuda pela caridade, uma real solidariedade (...) implica em um reconhecimento dos erros do passado na criação coletiva de um 'comum' equitável. Uma solidariedade radical implica em, consequentemente, uma decolonização das nossas práticas e dos nossos saberes. Essa palavra, solidariedade, porta então um significado importante na literatura sobre a justiça social e sobre as lutas feministas. Para algumas autoras, todavia, o chamado à solidariedade oculta a exploração passada das terras, dos corpos e das forças de trabalho. A pesquisadora Naïma Hamrouni sustenta que 'o chamado à solidariedade, se ele é baseado sobre a caridade,

deve ser substituído por um chamado à reparação das injustiças passadas e de uma reciprocidade'. É nesse espírito que eu faço o chamado à solidariedade. Um chamado na solidariedade decolonial que, mais que uma 'ajuda', implica uma 'reciprocidade'. Eu conclamo a uma solidariedade radical, que vai mais à raiz do problema da opressão, do que uma solidariedade que tenta simplesmente atenuar as consequências superficiais da Ordem Mundial." (SONDARJEE, Maïka. **Perdre le Sud**: décoloniser la solidarité internationale. Montréal: Écosocitété, 2020, p. 31-32.)

44. "Essa ação 'civilizatória' é inseparável de um 'darwinismo social', que sonha com uma árvore genealógica da espécie humana na qual o negro se situaria bem embaixo, o asiático em um nível intermediário, seguido da mulher branca para, bem no alto, estar o homem branco". (GAUTIER, Arlette. "Mulheres e colonialismo". *In*: FERRO, Marc (org.). **O livro negro do colonialismo**. Rio de Janeiro: Ediouro, 2004.)

45. HOOKS, bell. **Ensinando a transgredir**: a educação como prática da liberdade. São Paulo: WMF Martins Fontes, 2017.

46. HOOKS, bell. **Teoria feminista**: da margem ao centro. São Paulo: Perspectiva, 2019.

47. Taylisi Leite faz um excelente paralelo entre o pensamento de Davis e de Roswitha Scholz, que assim articula a clivagem racial em relação à organização da esfera do trabalho e a produção de valor no capitalismo: "Numa perspectiva próxima à de Roswitha Scholz, Angela Davis demonstra que houve uma clivagem entre a esfera pública (domínio dos homens) e a vida doméstica, em que uma nova ideologia acerca dos modelos de feminilidade se disseminou, por meio das revistas femininas e romances voltados às leitoras, mas essa era uma condição exclusiva das mulheres brancas, decorrente da economia industrial e da vida urbana. Os arranjos econômicos da escravidão contradiziam os papéis sexuais hierárquicos incorporados na ideologia de gênero burguesa, pela qual as mulheres brancas passaram a ser vistas como habitantes de uma esfera totalmente separada do mundo do trabalho produtivo. Essa questão racial,

inegavelmente relevante, ainda mais na realidade brasileira, não é ignorada por Scholz; ao contrário, Roswitha faz questão de trazer esse elemento para suas reflexões. Essa é a característica principal de sua militância teórica, que, inclusive, custou-lhe a exclusão do grupo que ajudou a criar." (LEITE, Taylisi. **Crítica ao feminismo liberal:** valor clivagem e marxismo feminista. São Paulo: Contracorrente, 2020. p. 238.)

48. "Quero argumentar que a defesa dos direitos dos imigrantes é um problema das mulheres negras. Precisamos falar em voz alta contra a reação anti-imigrante. O desemprego na comunidade negra — e o desemprego atingiu proporções de crise — não é resultado de trabalhadores imigrantes aceitarem empregos negros. Como o organizador da comunidade negra de L.A. Joe Williams III apontou: 'Como o migrante negro, o migrante latino hoje se tornou o bode expiatório para uma economia capitalista vacilante. Talvez não seja surpreendente que os negros, que se encontram no fundo da crise econômica, tenham aceitado a mensagem com demasiada facilidade. Mas os afro-americanos — tanto nossos líderes quanto nossa comunidade — deveriam condenar, em vez de apoiar, a reação anti-imigrante. Não devemos permitir que os políticos reinventem a mentira que foi usada contra nosso próprio povo há trinta anos'. Muitos de vocês sabem que tento ser uma ativista resoluta, especialmente quando se trata de capitalismo. Só porque os Estados socialistas caíram — com exceção de Cuba — por motivos que tiveram muito mais a ver com a falta de democracia do que com o próprio socialismo, isso não significa que o socialismo seja um projeto político obsoleto. E certamente não significa que a solidariedade com a classe trabalhadora seja um projeto político obsoleto." (DAVIS, Angela. "Black Women and The Academy". *In*: BOBO, Jacqueline (org.) et al. **The Black Studies Reader**. Londres: Routledge, 2004, p. 95.)

49. GAUTIER, Arlette. "Mulheres e colonialismo". *In*: FERRO, Marc (org.). **O livro negro do colonialismo**. Rio de Janeiro: Ediouro, 2004.

50. É interessante lembrar aqui do exemplo dado por Bonniol a respeito da profunda repulsão do cristianismo à ideia de negritude, como bem ilustra a narrativa de santificação de São Benedito de Palermo, o Mouro. Segundo Bonniol, a narrativa adotada pela igreja é a de que ele implorou a Deus que o tornasse monstruoso para que não sucumbisse às investidas femininas. Deus teria supostamente ouvido sua "prece", transformando sua pele branca em uma pele negra, e assim ele se consagrou para a história como São Benedito Mouro. (BONNIOL, Jean-Luc. "Beauté et couleur de la peau: variations, marques et métamorphoses". **Communications**, Paris, n. 60, pp. 185-204, 1995.)

51. A situação das mulheres africanas durante os processos internos de escravidão é complexa, testemunhando a singularidade de uma sociedade heterogênea e secularizada. As mulheres livres casam-se por meio de regras estabelecidas pela sua linhagem, devendo obediência a partir do casamento ao marido. Este detém poder total sobre os filhos e, na sua falta, outros membros masculinos de sua família exercem esse papel. Por outro lado, essas mesmas mulheres dispunham de certa autonomia econômica, podendo, em alguns casos, ser defendidas por associações de mulheres em circunstâncias de maus-tratos. Contudo, a perda da liberdade pela escravidão tolheu sua liberdade de receber proventos por meio do seu trabalho, podendo ser emprestadas ou vendidas segundo o alvedrio do proprietário. A compra da mulher negra se fazia sempre com a intenção de afastá-la de qualquer membro de sua linhagem, que se comportava como uma sorte de tutor. Por isso, o afastamento de sua família era, de fato, o fator preponderante para que a mulher negra experimentasse toda sorte de maus-tratos nos processos que podiam culminar com a sua venda. A venda geralmente era associada à infidelidade, à recusa de casamento, ou mesmo ao divórcio, muito embora as razões econômicas ligadas ao tráfico de escravos ocupassem um lugar de primazia. Os choques culturais entre o modo de perceber a mulher eram também visíveis nos processos de colonização empreendidos no sul asiático. Um

administrador colonial britânico da Birmânia relatou, entre 1887 e 1891, o quanto era assustador observar o nível de igualdade de gênero existente entre os nativos, criticando o processo de independência em curso. Para ele, a parca diferenciação entre homens e mulheres e seu caráter pacífico era um signo de "não civilidade", de modo que era preciso que as mulheres perdessem sua liberdade em prol do interesse comum. (GAUTHIER, Arlette. "Mulheres e colonialismo". *In*: FERRO, Marc (org.). **O livro negro do colonialismo**. Rio de Janeiro: Ediouro, 2004.)

52. O padrão da pele alva faz parte de fato do imaginário europeu e asiático muito antes do início do tráfico negreiro, ligado assim a uma concepção de feminilidade e beleza que não consideram outros povos como integrantes do que é considerado humano. "Esse padrão de sangue na neve é encontrado nas tradições orais e escritas de uma área que se estende além da Europa e até o norte da África e a Ásia Central [Cosquin, 1922]. É frequentemente usado para evocar uma memória e, às vezes, um desejo. Assim, por exemplo, um conto apresenta uma rainha que, um dia de inverno, pica o dedo na frente de uma janela de ébano. A cena o comove: 'Oh! se eu pudesse ter um filho branco como a neve, tão avermelhado quanto sangue e preto com cabelos como ébano nesta janela!' Pouco depois, ela deu à luz Branca de Neve. [Grimm e Grimm, 1967, p. 299] Na mesma linha, um objeto branco pode se tornar uma mulher. O objeto às vezes é inanimado, como uma escultura de mármore, às vezes animado, como um pássaro. Essa última fantasia nos dá a mulher cisne, que também é encontrada no folclore de uma grande área da Eurásia. [Thompson, 1975, p. 34, 61.]" (Frost, Peter. "De la paleur au bronzage: les idéaux de la beauté féminine en france". *In*: LAURENT, Sylvie (et al.). **De quelle couleur sont les blancs?** Paris: La Découverte, 2013, p.173)

53. GAUTIER, Arlette. "Mulheres e colonialismo". *In*: FERRO, Marc (org.). **O livro negro do colonialismo**. Rio de Janeiro: Ediouro, 2004.

54. BONNIOL, Jean-Luc. "Beauté et couleur de la peau: variations, marques et métamorphoses". **Communications**, Paris, n. 60, p. 185-204, 1995.

55. FEDERICI, Silvia. "Le féminisme comme mouvement antisystémique". *In*: BOGGIO, Felix Éwanjé-Épée et al. **Pour un féminisme de la totalité**. Paris: Amsterdam, 2017, p. 214.

56. "Em uma Inglaterra tomada pela guerra civil, intrigas judiciais e uma turbulenta classe aristocrática, o apoio financeiro dos italianos junto com seu comércio e fontes concomitantes de inteligência foi decisivo. A monarquia inglesa, com seus italianos e outros estrangeiros colaboradores comerciais e financeiros, conseguiu assegurar durante algum tempo uma certa independência de suas classes aristocráticas e burguesas nativas. Foi assim que os capitalistas italianos se situaram para desempenhar um papel essencial para determinar o ritmo, o caráter e a estrutura do recente tráfico negreiro transatlântico do próximo século. Sem eles e a cumplicidade de parte da aristocracia inglesa e das classes de comerciantes portuguesa e inglesa, e, claro, a nobreza clerical de Roma, seria difícil que um Império Português tivesse vindo a existir. Sem esse império, nada seria como é." (ROBINSON, Cedric J. **Black Marxism**: The Making of The Black Radical Tradition. Chapel Hill: University of North Carolina Press, 1983, p. 105.)

57. ROBINSON, Cedric J. **Black Marxism**: The Making of The Black Radical Tradition. Chapel Hill: University of North Carolina Press, 1983, p. 110.

58. Ibid, p. 111.

59. WILLIAMS, Eric. **Capitalismo e escravidão**. São Paulo: Companhia das Letras, 2012, p. 32-33.

60. HARVEY, David. **Os limites do capital.** São Paulo: Boitempo, 2006 p. 146.

61. Dados do Censo Agro 2017 do IBGE apontam que as grandes propriedades rurais com mais de 500 hectares são de

propriedade majoritariamente de brancos (72,2% da população), enquanto 23,9% pertencem a "pardos", 2,5% pertencem a pretos e 0,4% pertencem a indígenas. Uma desigualdade que indica que o latifúndio brasileiro, além de nocivo para o desenvolvimento do país como um dos fatores da desigualdade social, encontra-se também atravessado pelo colorismo. Esse aspecto é perceptível também na análise das pequenas propriedades com menos de 1 hectare, que são majoritariamente de "pardos" (57,9%), enquato 25,5% pertencem a brancos, 13,6% de propriedades de pretos e somente 8,3% pertencem a indígenas. Disponível em: <https://censos.ibge.gov.br/2012-agencia-de-noticias/noticias/26139-pretos-ou-pardos-sao-minoria-na-direcao-de-grandes-estabelecimentos-agricolas.html> e em <https://sidra.ibge.gov.br/pesquisa/censo-agropecuario/censo-agropecuario-2017>. Acesso em: 25 dez. 2020.

62. Segundo os dados do Ministério da Saúde, 1 a cada 3 negros morrem por Covid-19 no Brasil durante a pandemia e, segundo os dados do Instituto Baobá, essa letalidade está ligada ao fato de que a sobreposição de vulnerabilidades no interior das comunidades negras facilita essa alta taxa de mortes. Além disso, brancos têm duas vezes mais acesso a planos de saúde no país em comparação aos negros. "No Brasil, os negros são a maioria da população. São também a maioria dos que não têm emprego ou estão em situação de subocupação. A maior parte dos negros está entre as vítimas de homicídio no país e quando falamos de população carcerária os negros são a maior parte. Os negros também são os que mais sofrem com a informalidade, que vem crescendo no Brasil, nos últimos anos. Dizem que o vírus é democrático porque infecta qualquer pessoa. Mas o que estamos vendo é que as populações mais vulneráveis, que vivem em locais mais adensados, mais pobres e sem infraestrutura é que vão ficar mais doentes. Além disso, essas populações mais vulnerabilizadas possuem mais comorbidades que vão favorecer a maior letalidade." "Saúde como prioridade no Fundo Baobá." Disponível em: <https://baoba.org.br/author/baoba/page/6/>. Acesso em: 5 jan. 2021. "Pretos e pardos representam 75,7% do EJA fundamental e 67,2% do EJA

médio em relação à matrícula dos alunos com informação de cor/raça declarada. Os alunos declarados como brancos representam 22,2% do EJA fundamental e 31,6% do EJA médio." Disponível em: <https://download.inep.gov.br/publicacoes/institucionais/estatisticas_e_indicadores/resumo_tecnico_censo_da_educacao_basica_2018.pdf>. Acesso em: 20 dez. 2020.

63. "O perfil da população selecionada pelo sistema prisional brasileiro é bem específico e semelhante ao americano, uma vez que as maiores vítimas deste sistema são os jovens (74% dos presos no país têm menos de 35 anos), pobres e negros (67%). Quase 70% dos presos não concluíram o ensino fundamental." WAISELFISZ, Júlio Jacobo. **Mapa da Violência 2016**: Mortes Matadas por Armas de Fogo. FLACSO/CEBELA, 2016. "No Brasil, considerando proporcionalmente as subpopulações por raça/cor, de cada 7 indivíduos assassinados, 5 são afrodescendentes. (...) Os indivíduos negros possuem 23,5% a mais de chances de sofrer agressão letal e respondem por 78,9% das pessoas que estão no decil superior da distribuição de probabilidade de sofrer homicídio." CERQUEIRA, Daniel e Danilo Santa Cruz Coelho. **Democracia Racial e Homicídios de Jovens Negros na Cidade Partida**. TD 2267 - IPEA, 2017.

64. FEDERICI, Silvia. **Le capitalisme patriarcal.** Paris: La Fabrique, 2019, p. 78.

65. FEDERICI, Silvia. **Le capitalisme patriarcal.** Paris: La Fabrique, 2019, p. 79.

66. FEDERICI, Silvia. **Le capitalisme patriarcal.** Paris: La Fabrique, 2019, p. 91.

67. WALLERSTEIN, Immanuel. "La construction des peuples: racisme, nationalisme, etnicithé". *In*: **Race, nation classe:** les identités ambigues. Paris: La découvert, 1997, p. 113.

68. Segundo Kimberlé Crenshaw, a interseccionalidade pode ser definida como "as várias maneiras pelas quais raça e gênero interagem para moldar as múltiplas dimensões do emprego

das experiências de mulheres negras. (...) Onde os sistemas de dominação de raça, gênero e classe convergem, como ocorrem nas experiências de mulheres racializadas violentadas, estratégias de intervenções baseadas somente nas experiências de mulheres que não compartilham as mesmas condições de classe ou de raça serão pouco úteis ou limitadas para mulheres que fazem face a diferentes obstáculos em razão da raça ou da classe." (CRENSHAW, Kimberlé Williams. "The Intersection of Race and Gender". *In*: **Critical Race Theory**: The Key Writings That Formed The Movement. Nova York: The New Press, 1995, p. 357-358.)

69. GONZALEZ, Lélia. "Racismo e sexismo na cultura brasileira". **Revista Ciências Sociais Hoje**. Anpocs, n. 2, 1984, p. 224.

70. A associação da mulata ao ato sexual e às mais cruéis perversidades ligadas ao estupro são integradas, sem surpresa, ao linguajar policial que, segundo Gonzalez, nomeou um método de tortura dos presos de "mulata assanhada". Ela pergunta: "Por que será que um dos instrumentos de tortura utilizados pela polícia da Baixada é chamado 'mulata assanhada' (cabo de vassoura que introduzem no ânus dos presos)?" (GONZALEZ, Lélia. "Racismo e sexismo na cultura brasileira". **Revista Ciências Sociais Hoje**. Anpocs, n. 2, 1984, p. 238.)

71. FANON, Frantz. **Pele negra, máscaras brancas**. São Paulo: Ubu, 2020.

72. Fanon dá um exemplo curioso dessas projeções feitas sobre o corpo negro, que podem fragilizar a identidade branca, dando provavelmente azo ao caráter de violenta contenção existente no racismo. "Indo às últimas consequências, diríamos que, por meio do seu corpo, o preto atrapalha o esquema postural do branco, e isto, naturalmente, quando surge no momento fenomênico do branco. Aqui não é o lugar apropriado para reportar as conclusões às quais chegamos ao refletir sobre o poder da irrupção de um corpo sobre o outro. Suponhamos, por exemplo, um grupo de quatro rapazes de quinze anos,

esportistas mais ou menos assumidos. No salto em altura, um deles sai vitorioso com 1,48 m. Se surgisse um quinto que o ultrapasse com 1,52 m, os quatro corpos sofreriam uma desestruturação." (FANON, Frantz. **Pele negra, máscaras brancas.** São Paulo: Ubu, 2020.)

73. DAVIS, Angela. "Violences sexuelles, racisme, impérialisme". *In*: **Pour un féminisme de la totalité**. Paris: Amsterdam, 2017, p. 412.

74. FEMINISMOS PLURAIS. **Interseccionalidade – Djamila Ribeiro e Carla Akotirene**. 2020. Disponível em: <https://youtu.be/KFncigGbDeE>. Acesso em: 22 fev. 2021.

75. GONZALEZ, Lélia. "Racismo e sexismo na cultura brasileira". **Revista Ciências Sociais Hoje**. Anpocs, n. 2, 1984, p. 240.

76. "A diferença salarial entre brancos e negros de 45%, de acordo com a PNAD (Pesquisa Nacional por Amostra de Domicílios), de 2019, não pode ser atribuída apenas à falta de oportunidade de formação para pessoas negras. Segundo cálculo do Instituto Locomotiva, a diferença salarial ainda é significativa, de 31%, quando comparados os salários de brancos e negros com ensino superior, isoladas todas as demais variáveis. Sobra apenas a cor da pele." (...) "Estudo da consultoria McKinsey encontrou uma correlação positiva entre diversidade e performance financeira. De acordo com a pesquisa "Delivery Through Diversity" (entrega através da diversidade, em tradução livre do inglês), as empresas com maior diversidade étnica tinham 33% mais chances de ter uma performance financeira acima da média de seu setor." BORGES, Daniella; MENA, Fernanda. "Racismo gera diferença salarial de 31% entre negros e brancos, diz pesquisa". São Paulo: **Folha de S.Paulo**, 6 jan. 2020. Disponível em: <https://www1.folha.uol.com.br/mercado/2020/01/racismo-gera-diferenca-salarial-de-31-entre-negros-e-brancos-diz-pesquisa.shtml>. Acesso em: 6 jan. 2020.

77. IBGE. "Pesquisa Nacional por Amostra de Domicílios Contínua". Disponível em: <https://agenciadenoticias.ibge.gov.br/media/com_mediaibge/arquivos/8ff41004968ad-36306430c82eece3173.pdf>. Acesso em: 2 jan. 2020.

78. GONZALEZ, Lélia. **Lélia Gonzalez**: Primavera para as rosas negras. São Paulo: UCPA Editora, 2018, p. 331.

79. É possível afirmar que a maior parte dos africanos sequestrados e trazidos para o Brasil fazem parte de três grandes grupos: os bantus, os sudaneses, e os guinenos-sudaneses muçulmanos. Esses três grandes grupos tinham subdivisões que corresponderiam ao que hoje conhecemos como iorubás, gegês, fanti-ashantis, congoleses, angolanos, moçambicanos, incluindo os povos advindos de regiões como o Zaire, Quíloa, Zimbábue e Nigéria. (SILVÉRIO, Valter Roberto. **Síntese da coleção: História Geral da África.** Pré-história ao século XVI. Brasília: UNESCO/MEC/UFSCar, 2013, p. 12-13.).

80. "(...) as questões raciais no Brasil não foram discutidas tendo como base a compreensão sobre os grupos africanos sequestrados para o Brasil, formadores da nossa história social. Ao invés disso, nossa sociologia se debruçou em torno de uma criação nacional: o 'negro'. O negro, enquanto categoria, é uma espécie de filtro das diferenças étnicas, unificando-as em torno de um 'novo sujeito'. E aqui utilizo o termo 'novo sujeito' entre aspas para destacar seu significado limitado, pois ele nasce ao mesmo tempo em que um lugar social específico é para ele estabelecido: um lugar de não existência ou, nas palavras de Frantz Fanon, uma 'zona de não ser' (Fanon, 2008). Se é um novo sujeito, seu passado é nebuloso, pouco compreensível e "borrado" aos nossos olhos. E então, os descendentes de africanos no Brasil são retratados sociologicamente em dois momentos: o escravo e o negro. A primeira transformação simbólica é a do Bantu (por exemplo) em africano, genericamente. Em seguida, o africano passa a significar escravo. Por último, o escravo torna-se negro, uma categoria que constrange toda uma população a uma nova condição simbólica, desconectada de sua história com o continente africano. Cabe salientar que a demanda por uma história

brasileira conectada com a África não significa um movimento essencialista ou de retorno a uma África mítica a-histórica. Significa, sim, uma leitura da realidade brasileira que leve em consideração as dinâmicas sociais que a conformam, no passado e no presente. Esse processo de unificação das diferenças em torno de uma categoria nacional é um exemplo de *racialização* que criou os significados do 'ser negro', assim como o do 'ser branco' e do 'ser indígena' em nossa sociedade. Trata-se de uma produção discursiva, com impactos sobre as subjetividades e em como compreendemos e narramos nosso contexto social. Para compreendermos a complexidade de nossa sociedade e dos significados compartilhados, é necessário nos atentarmos aos processos de *racialização*. Mais do que isso, precisamos de leituras transnacionais - ou 'supranacionais'(...)." (MEDEIROS, Priscila Martins. "Rearticulando narrativas sociológicas: Teoria social brasileira, diáspora africana e a *desracialização* da experiência negra". Brasília: **Sociedade e estado.** Vol. 33, n. 3, set-dez, 2018. Disponível em: <http://www.scielo.br/scielo.php?script=sci_arttext&pid=S0102-69922018000300709>. Acesso em: 22 fev. 2021.

81. GONZALEZ, Lélia. **Lélia Gonzalez**: Primavera para as rosas negras. São Paulo: UCPA Editora, 2018, p. 332.

82. Ibid.

83. Sueli Carneiro de modo límpido indica de que modo negros de pele clara são, antes de mais nada, negros. "De igual maneira, importantes lideranças do Movimento Negro Brasileiro, negros de pele clara, através do franco engajamento na questão racial, vêm demarcando a resistência que historicamente tem sido empreendida por parcela desse segmento de nossa gente aos acenos de traição à negritude, que são sempre oferecidos aos mais claros. Há quase duas décadas, parcela significativa de jovens negros inseridos no Movimento Hip Hop politicamente cunhou para si a autodefinição de pretos e o slogan PPP (Poder para o Povo Preto) em oposição a essas classificações cromáticas que instituem diferenças no interior da negritude, sendo esses jovens, em sua maioria, negros de pele clara como

um dos seus principais ídolos e líderes, Mano Brown, dos Racionais MCs. O que esses jovens sabem pela experiência cotidiana é que o policial nunca se engana, sejam eles mais claros ou escuros. No entanto, as redefinições da identidade racial, que vêm sendo empreendidas pelo avanço da consciência negra e que já são perceptíveis em levantamentos estatísticos, tendem a ser atribuídas apenas a um suposto ou real oportunismo promovido pelas políticas de cotas, fenômeno recente que não explica a totalidade do processo em curso. A fuga da negritude tem sido a medida da consciência de sua rejeição social e o desembarque dela sempre foi incentivado e visto com bons olhos pelo conjunto da sociedade. Cada negro claro ou escuro que celebra sua mestiçagem ou suposta morenidade contra a sua identidade negra tem aceitação garantida. O mesmo ocorre com aquele que afirma que o problema é somente de classe e não de raça. Esses são os discursos politicamente corretos de nossa sociedade. São os discursos que o branco brasileiro nos ensinou, gosta de ouvir e que o negro que tem juízo obedece e repete." (Disponível em: <https://www.ceert.org.br/noticias/genero-mulher/13570/sueli-carneiro-negros-de-pele-clara>. Acesso em: 20 mar. 2019.)

84. "O racismo latino-americano é suficientemente sofisticado para manter negros e índios na condição de segmentos subordinados no interior das classes mais exploradas, graças à sua forma ideológica mais eficaz: a ideologia do branqueamento. Veiculada pelos meios de comunicação de massa e pelos aparelhos ideológicos tradicionais, ela reproduz e perpetua a crença de que as classificações e os valores do Ocidente branco são os únicos verdadeiros e universais. Uma vez estabelecido, o mito da superioridade branca demonstra sua eficácia pelos efeitos de estilhaçamento, de fragmentação da identidade racial que ele produz: o desejo de embranquecer (de 'limpar o sangue' como se diz no Brasil) é internalizado, com a simultânea negação da própria raça, da própria cultura." (GONZALEZ, Lélia. **Lélia Gonzalez**: Primavera para as rosas negras. São Paulo: UCPA Editora, 2018, p. 326.)

**85.** Sueli Carneiro faz uma bonita homenagem às mais jovens expoentes do feminismo negro brasileiro, cuja transcrição é importante para documentar o momento histórico vivido nos últimos anos: "Hoje, as jovens pegaram o bastão e estão aí, no mundo. É uma coisa muito emocionante. Estou muito grata às deusas e aos deuses por poder estar assistindo a esse florescimento. Sobretudo da presença das mulheres negras na sociedade brasileira. Quem são essas meninas? Você, por exemplo, na CULT (Bianca Santana). A Djamila Ribeiro, Stephanie Ribeiro, Joice Berth, Ana Paula Lisboa, Luana Tolentino, Natália Neris, Monique Evelle, Taís Araújo, Diane Lima, Maju Coutinho, Sil Bahia. Vai vendo... Luz Ribeiro, Preta Rara, Karol Conká. É uma festa! Viviane Ferreira, cineasta do *Dia de Jerusa*, Renata Martins, Tia Má. É um festival! Natália Sena, do nosso Portal, Larissa Santiago e as Blogueiras Negras, Erica Malunguinho do Aparelha Luzia. Estou pegando as meninas. Jarid Arraes, quero saber onde está Jarid, amo de paixão. Yasmin Thayná, as meninas da mídia, Adriana Couto. Eu vou esquecer muitas! É um luxo! É uma festa! É lindo! A cena ficou muito bonita, colorida. E a contribuição que a nossa experiência de opressão e também de resistência aporta, a contribuição que temos para dar e enriquecer essa sociedade é extraordinária." (SANTANA, Bianca. "Sobrevivente, testemunha e porta-voz". São Paulo: **Revista Cult**. 9 mai. 2017. Disponível em: <https://revistacult.uol.com.br/home/sueli-carneiro-sobrevivente-testemunha-e-porta-voz/>. Acesso em: 2 fev. 2020.)

**86.** O *Atlas da Violência 2020* do Instituto de Pesquisa Econômica Aplicada (Ipea) e do Fórum Brasileiro de Segurança Pública (FBSP) constata que os homicídios de pessoas negras (pretas e pardas) aumentaram 11,5% em uma década. Contudo, entre 2008 e 2018, a taxa entre não negros (brancos, amarelos e indígenas) fez o caminho inverso, apresentando uma queda de 12,9%. A partir dos dados do Sistema de Informação sobre Mortalidade do Ministério da Saúde, o relatório retrata que para cada pessoa não negra assassinada em 2018, 2,7 negros foram mortos, estes últimos representando 75,7% das vítimas.

Enquanto a taxa de homicídios a cada 100 mil habitantes foi de 13,9 casos entre não negros, essa mesma taxa atingiu a ordem de 37,8 entre negros. Ressaltamos que, na hora de morrer, o gradiente da pele negra continua se mostrando como um detalhe absolutamente irrelevante. Essa tragédia nacional funda-se em uma realidade ainda mais clivante quando falamos das mortes de mulheres negras, dos feminicídios. "Da mesma forma, as mulheres negras representaram 68% do total das mulheres assassinadas no Brasil, com uma taxa de mortalidade por 100 mil habitantes de 5,2, quase o dobro quando comparada a das mulheres não negras". CERQUEIRA, Daniel (coord.) et al. **Atlas da violência 2020**. Brasília: Instituto de Pesquisa Econômica Aplicada, 2020. Disponível em: <https://www.ipea.gov.br/atlasviolencia/arquivos/artigos/3519-atlasdaviolencia2020completo.pdf> Acesso em: 28 nov. 2020.

87. A grande intelectual marxista e feminista, bell hooks, avalia como o movimento feminista negro estadunidense se construiu à despeito do racismo, velado ou não, vindo de mulheres brancas que deveriam dividir as trincheiras com mulheres negras por meio de uma relação de base igualitária. Ela descreve, assim, que as mulheres brancas terminaram por reproduzir no seio do feminismo branco muitos dos recursos racistas contra os quais as mulheres negras tentavam se organizar. As tensões provenientes desse conflito constituem um bom relato para não essencializar o racismo ou o sexismo exclusivamente sobre homens. Mulheres brancas e mulheres negras claras também são suscetíveis à introjeção dessas ideologias. "Para construir um movimento feminista politizado e de massa, as mulheres devem trabalhar mais para superar a alienação umas das outras que existe quando a socialização sexista não foi desaprendida, por exemplo, homofobia, a julgar pela aparência, conflitos entre mulheres com práticas sexuais diversas. Até agora, o movimento feminista não transformou as relações de mulher para mulher, especialmente entre mulheres que são estranhas umas às outras ou de origens diferentes, embora tenha sido a ocasião para criar laços entre indivíduos e grupos de mulheres. Devemos renovar nossos esforços para ajudar as mulheres a desaprender o sexismo se quisermos desenvolver relações pessoais firmes, bem

como unidade política. O racismo é outra barreira à solidariedade entre as mulheres. A ideologia da sororidade expressa por ativistas feministas contemporâneas não indicava o reconhecimento de que a discriminação racista, a exploração e a opressão de mulheres multiétnicas por mulheres brancas tornavam impossível para os dois grupos sentir que compartilhavam interesses em comum ou as mesmas preocupações políticas. Além disso, a existência de culturas de origens totalmente diferentes pode dificultar a comunicação. Isso tem sido especialmente verdadeiro para os relacionamentos femininos entre negros e brancos. Historicamente, muitas mulheres negras vivenciaram as mulheres brancas como o grupo de supremacia branca que mais diretamente exerce o poder sobre elas, geralmente de uma maneira muito mais brutal e desumanizante do que a dos homens brancos racistas. Hoje, apesar do domínio predominante dos patriarcas da supremacia branca, as mulheres negras costumam trabalhar em situações em que o supervisor imediato, chefe ou figura de autoridade é uma mulher branca. Conscientes dos privilégios que os homens brancos, assim como as mulheres brancas, ganham como consequência da dominação racial, as mulheres negras foram rápidas em reagir ao chamado feminista pela sororidade apontando para a contradição — de que devemos nos juntar às mulheres que nos exploram para ajudar a libertá-las. O chamado para a sororidade foi ouvido por muitas mulheres negras como um apelo por ajuda e apoio para um movimento que não se dirigia a nós (...) Muitos perceberam que o movimento de libertação das mulheres, conforme delineado por mulheres brancas burguesas, serviria aos seus interesses às custas das pobres trabalhadoras mulheres de classe, muitas das quais são negras." (HOOKS, bell. "Sororité: la solidarité politique entre les femmes". *In*: DORLIN, Eliza (org.) et al. **Black feminism**: anthologie du féminisme africain-américain (1975-2000). Paris: L'Harmattan, 2008, Bibliothéque du féminisme. p. 121-122.)

88. A malfadada frase está presente na obra que é incontornável na literatura brasileira, cujas interpretações são várias e múltiplas para os fins dessa citação. Contentamo-nos em fazer menção a ela, lembrando que muitos preceitos dos livros da obra de Freyre

têm sido questionados nos últimos anos, seja em relação ao seu método ou em relação às suas conclusões. "Com relação ao Brasil, que o diga o ditado: 'Branca para casar, mulata para f..., negra para trabalhar'; ditado em que se sente, ao lado do convencialismo social da superioridade da mulher branca e da inferioridade da preta, a preferência sexual pela mulata. Aliás, o nosso lirismo amoroso não revela outra tendência senão a glorificação da mulata, da cabocla, da morena celebrada pela beleza dos seus olhos, pela alvura dos seus dentes, pelos seus dengues, quindins e embelegos muito mais do que as 'virgens pálidas' e as 'louras donzelas'. Estas surgem em um ou em outro soneto, em uma ou em outra modinha do século 16 ou 19. Mas sem o relevo das outras." (FREYRE, Gilberto. **Casa-grande & senzala**. Rio de Janeiro: Record, 2001, p. 36.)

89. "'Vai trepar muito no quartinho': Paes e a desumanização da mulher negra." **Carta Capital**, 29 ago. 2016. Disponível em: <https://www.cartacapital.com.br/sociedade/201cvai-trepar--muito-nesse-quartinho201d-paes-e-a-desumanizacao-da-mulher-negra/>. Acesso em: 22 dez. 2020.

90. HOOKS. bell. "Sororité: la solidarité politique entre les femmes." *In*: DORLIN, Eliza (org.) et al. **Black feminism**: anthologie du féminisme africain-américain (1975-2000). Paris: L'Harmattan, 2008, Bibliothéque du féminisme, p. 129.

91. Alysson Mascaro, brilhante filósofo do direito brasileiro, conceitua com a sua perspicácia particular o quanto é importante articular a luta de classes para fora das estruturas estatais, ou seja, visando à sociedade sem intermediários: "A dinâmica das lutas entre as classes, grupos e indivíduos se apresenta politicamente, no capitalismo, perpassada sempre pela forma estatal. Trata-se de um processo de dupla implicação. Se a luta de classes é conformada pelo Estado, esta por sua vez está também enraizada nas contradições e disputas múltiplas das sociedades capitalistas. A forma política estatal, no entanto, não é um molde surgido de quaisquer dinâmicas de luta de classes. (...). A luta de classes é tanto o seio no qual brota a forma política quanto o alvo da própria institucionalização estatal. Trata-se de um processo contínuo de

constituições sociais e interferências recíprocas." (MASCARO, Alysson Leandro. **Estado e forma política**. São Paulo: Boitempo, 2013, p. 60.)

92. Essa importante consulta pública gerou recomendações que vêm sendo adotadas em várias esferas da municipalidade, tendo também surtido efeitos no plano provincial e nacional. O relatório está disponível para leitura em inglês e em francês para consulta e constitui um documento histórico importante da luta antirracista para a América do Norte. ("Le Rapport de la consultation publique sur le racisme et la discrimination systémique en questions." **Office de Consultation Publique de Montréal**. Disponível em: <https://ocpm.qc.ca/fr/actualite/rapport-consultation-publique-sur-racisme-et-discrimination--systemique-en-questions> . Acesso em: 15 jan. 2021.)

93. Lélia Gonzalez reflete nessa passagem sobre o suposto monopólio branco da objetividade, da imparcialidade e da razão. É uma reflexão que pode ser estendida à situação absurda vivida por Bochra Manai quando da sua nomeação em Montreal. Trata-se de uma circunstância frequente na vida de negras e racializadas, que está intrinsecamente ligada ao modo como o racismo organiza o poder do capital: "Embora pertençamos a diferentes sociedades do continente, sabemos que o sistema de dominação é o mesmo em todas elas, ou seja: o racismo, a elaboração fria e extrema do modelo ariano de explicação, cuja presença é uma constante em todos os níveis de pensamento, assim como parte e parcela das mais diferentes instituições dessas sociedades. Como já foi visto no início deste trabalho, o racismo estabelece uma hierarquia racial e cultural que opõe a superioridade branca ocidental à 'inferioridade' negro-africana. A África é o continente 'obscuro' sem uma história própria (Hegel), por isso a Razão é branca, enquanto a Emoção é negra." (GONZALEZ, Lélia. **Lélia Gonzalez**: Primavera para as rosas negras. São Paulo: UCPA Editora, 2018, p. 330.)

94. GONZALEZ, Lélia. "Racismo e sexismo na cultura brasileira". *In:* **Revista Ciências Sociais Hoje**. Anpocs, 1984, p. 193.

95. SARTRE, Jean-Paul. "Orphée Noir". *In*: SENGHOR, Léopold Sédar. **Introduction à l'Anthologie de la nouvelle poésie nègre et malgache**. Paris: Gallimard, 1964, p. 18.

96. "Para os bantu, todos os seres do universo possuem a sua força vital própria; humana, animal vegetal ou inanimada. Cada ser foi dotado por Deus de uma certa força, suscetível de reforçar a energia vital do ser mais forte da criação: o homem. A felicidade suprema, a única forma de felicidade, é para o bantu a posse da maior força vital; a pior, a adversidade e, na verdade, o único sinal de infelicidade é para ele a diminuição deste poder. (...) A doença e a morte não provêm da nossa força vital, mas de um agente exterior, de uma força superior que nos enfraquece. E, por conseguinte, ao reforçar a energia vital por meio de remédios mágicos é que a gente se torna resistente às forças nefastas do exterior." (TEMPELS, Placide. **A filosofia bantu**. Luanda: Kuwindula, 2012, p. 47.)

97. ÉKOUÉ, Sophie. **Sagesse d'Agrique**. Paris: Hachette, 2016, p. 123.

# REFERÊNCIAS BIBLIOGRÁFICAS

AJARI, Norman. "Os pontos cegos do universalismo: o antiessencialismo contra a história." *In*: Revue du Crieur. Paris: La Découverte, 2019/3, p. 152-159.

ALEXANDER, Michelle. **A nova segregação:** racismo e encarceramento em massa. São Paulo: Boitempo, 2018.

ALLIEZ, Éric; Maurizio Lazzrato. **Guerres et Capital**. Paris: Éditions Amsterdam, 2016.

ALMEIDA, Silvio Luiz de. **Racismo estrutural.** São Paulo: Editora Jandaíra, 2019.

ARRUZZA, Cinzia; Bhattacharya, Tithi; Fraser, Nancy. **Féminisme pour les 99%:** un manifeste. Paris: La Découverte, 2019.

BONNIOL, Jean-Luc. Beleza e cor de pele: variações, marcas e metamorfoses. *In*: **Revista Communications**, n. 60, 1995, pp. 185-204. Número "Beauté, laideur" Paris: Persée. p.13.

BRANDÃO, André Augusto; MARINS, Mani Tebet A. de. Cotas para negros no Ensino Superior e formas de classificação racial. São Paulo: **Revista Educação e Pesquisa, USP**, v. 33, n. 1, p. 27-45, abril de 2007.

CARNEIRO, Sueli. **Negros de pele clara**. CEERT, 2016. Disponível em: <https://www.ceert.org.br/noticias/genero-mulher/13570/sueli-carneiro-negros-de-pele-clara>. Acesso em: 20 mar. 2019.

CARNEIRO, Sueli. "Sobrevivente, testemunha e porta-voz". *In*: SANTANA, Bianca. **CULT**, 2017. Disponível em: <https://revistacult.uol.com.br/home/sueli-carneiro-sobrevivente-testemunha-e-porta-voz/>. Acesso em: 2 fev. 2020.

CÉSAIRE, Aimé. **Cahier d'un retour au pays natal**. Paris: Présence africaine, 1983.

CRENSHAW, Kimberlé Williams. "The intersection of race and gender". *In*: **Critical Race Theory**: The Key Writings That Formed The Movement. Nova York: The New Press, 1995, p. 357-358.

DAVIS, Angela. "Black Women and The Academy." *In*: BOBO, Jacqueline (org.) et al. **The Black Studies Reader**. Nova York: Routledge, 2004, p. 95.

DIANGELO, Robin. **Fragilité blanche**: ce racisme que les blancs ne voient pas. Paris: Les Arènes, 2020.

ÉKOUÉ, Sophie. **Sagesse d'Afrique**. Paris: Hachette, 2016.

ENCHIL, Brigid. "Le colorisme et le noirisme dans le contexte haïtien: Amour de Marie Vieux-Chauvet". *In*: **Mouvances Francophones**. Vol. 6, n. 1, 2021. DOI: <10.5206/mf.v6i1.13521>

FEDERICI, Silvia. "Le féminisme comme mouvement antisystémique". *In*: **Pour un féminisme de la totalité**. Paris: Amsterdam, 2017.

FEDERICI, Silvia. **Le capitalisme patriarcal**. Paris: La Fabrique, 2019.

FIRMIN, Anténor. **De l'égalité des races humaines**: anthropologie positive. Montreal: Mémoire d'encrier, 2005.

FROST, Peter. **Femmes claires, hommes foncés**: les racisnes oubliées du colorisme. Quebec: Les Presses de l'Université Laval, 2021.

GAUTIER, Arlette. "Femmes et colonialiesme". *In*: **Le livre noir du colonialisme**: XVIe – XXIe siècle: de l'extermination à la repentance. Paris: Pluriel, 2010.

GONZALEZ, Lélia. "Racismo e sexismo na cultura brasileira". *In*: **Revista Ciências Sociais Hoje**. Anpocs, 1984.

GONZALEZ, Lélia. **Lélia Gonzalez**: Primavera para as rosas negras. São Paulo: UCPA Editora, 2018.

HARVEY, David. **Os limites do capital**. São Paulo: Boitempo, 2006 p. 146.

HOOKS, bell. **Salvation**: Black People and Love. Nova York: HarperPerennial, 2001.

HOOKS, bell. **Communion:** The Female Search For Love. Nova York: Perennial, 2002.

HOOKS, bell. "Sororité: la solidarité politique entre les femmes". *In*: DORLIN, Eliza (org.) et al. **Black feminism**: anthologie du féminisme africain-américain (1975-2000). Paris: L'Harmattan, 2008, Bibliothéque du féminisme.

HOOKS, bell. **De la marge au centre**: théorie féministe. Cambourakis: Paris, 2017.

HOOKS, bell. **Ensinando a transgredir**: a educação como prática da liberdade. São Paulo: WMF Martins Fontes, 2017.

HOOKS, bell. **Teoria feminista**: da margem ao centro. São Paulo: Perspectiva, 2019.

HUDIS, Frantz. **Fanon**: Philosopher of The Barricades. Londres: Pluto Press, 2015.

JAPPE, Anselm. **La societé antophage**: capitalisme, démesure et autodestruction. Paris: La Découverte, 2020.

JUNG, Carl Gustav. **Os arquétipos e o inconsciente coletivo**. 2ª ed. Petropólis: Vozes, 2000.

LEITE, Taylisi. **Crítica ao feminismo liberal**: valor clivagem e marxismo feminista. São Paulo: Contracorrente, 2020.

MAGALHÃES, Juliana Paula. **Marxismo, humanismo e direito**: Althusser e Garaudy. São Paulo: Ideias e letras, 2018.

MANNING, Patrick. "Les connexions avant 1600". *In*: MANNING, Patrick (org.) et al. **Histoire & cultures de la diaspora africaine**. Paris: Éditions Présence Africaine, 2018.

MASCARO, Alysson Leandro. **Estado e forma política**. São Paulo: Boitempo, 2013.

MBEMBE, Achille. **A crítica da razão negra**. Lisboa: Antígona, 2014.

MBEMBE, Achille. "L'homme blanc aux prises avec ses démons". *In*: BOËTSCH, Gilles (org.) et al. **Sexualités, Identités & Corps Colonisés**. Paris: CNRS Editions, 2019.

MUNANGA, Kabengele. **Negritude**: usos e sentidos. São Paulo: Autêntica, 2015.

NDIAYE, Pap. **La condition noire**. Paris: Calmann-Lévy, 2008.

PÉTRÉ-GRENOUILLEAU, Oliver. **Les traites négrières**. Paris: Galimard, 2004.

RIBEIRO, Carlos Antonio Costa. "Contínuo racial, mobilidade social e 'embranquecimento'". São Paulo: **Revista Brasileira de Ciências Sociais**, v.32, n. 95, e329503, 2017.

RIBEIRO, Djamila. **Quem tem medo do feminismo negro?** São Paulo: Companhia das Letras, 2018.

RIBEIRO, Djamila. **Lugar de fala**. São Paulo: Editora Jandaíra, 2019.

ROBINSON, Cedric J. **Black Marxism**: The Making of The Black Radical Tradition. Chapel Hill: Univ. of North Carolina Press, 1983.

SARTRE, Jean-Paul. "Orphée Noir". *In*: SENGHOR, Léopold Sédar. **Introduction à l'Anthologie de la nouvelle poésie nègre et malgache**. Paris: Gallimard, 1964.

SCHUCMAN, Lia Vainer. **Entre o encardido, o branco e o branquíssimo**: branquitude, hierarquia e poder na cidade de São Paulo. São Paulo: Annablume, 2014.

SCHWARCZ, Lilia Moritz. **O espetáculo das raças**: cientistas, instituições e questão racial no Brasil de 1870-1930. São Paulo: Companhia das Letras, 1993.

SKIDMORE, Thomas E. **Preto no Branco**: raça e nacionalidade no pensamento brasileiro. São Paulo: Companhia das Letras, 2012.

SONDARJEE, Maïka. **Perdre le Sud**: décoloniser la solidarité internationale. Montréal: Écosociété, 2020.

STEVENS, Anthony. **Archetype revisited:** an update natural history of the self. 2ª ed. Londres: Brunner-Routledge. 2004.

TEMPELS, Placide. **A filosofia bantu**. Luanda: Kuwindula, 2012.

THURAM, Lilian. **La pensée blanche**. Montreal: Mémoire d'encrier, 2020.

VAN DEN BERGHE, Pierre; FROST, Peter. "Skin color préference, sexual dimorphism and sexual selection: a case of gene-culture co-evolution". **Ethnic and Racial Studies**, 1986, v. 9, n. 1.

VERGÈS, Françoise. **Um feminismo decolonial**. São Paulo: Ubu, 2020.

WALKER, Alice. "If the Present Looks Like the Past, What Does the Future Look Like?" *In*: **In Search of Our Mothers' Gardens.** New York: Harcourt. 1983.

WALKER, Alice. "Beauty: When the Other Dancer Is the Self." *In*: **In Search of Our Mothers' Gardens**: Womanist Prose. Nova York: Harvest/Harcourt, 2003.

WALLERSTEIN, Immanuel. "La construction des peuples: racisme, nationalisme, etnicithé". *In*: **Race, nation, classe**: les identités ambigues. Paris: La découvert, 1997.

W. E. B. Du Bois. **The Negro**. Londres: Oxford University Press, 1970.

Este livro foi composto pelas fontes Calisto MT e
Bebas Neue e impresso em março de 2023 pela Edições Loyola.
O papel de miolo é o Pólen Soft 80g/m² 
e o de capa é o Cartão Supremo 250g/m².